D1213911

10/18

12, AVENUE D'ITALIE. PARIS XIIIe

Sur l'auteur

Née à Hong Kong, d'un père architecte et d'une mère
maître verrier, partagée entre ses origines celtes et latines,
nomade par goût, Viviane Moore devient photographe
à dix-neuf ans, puis reporter free-lance. En 1997, elle
délaisse son Leica pour se consacrer à plein temps à
l'écriture. Elle est l'auteur d'une vingtaine de romans
noirs médiévaux et contemporains. Ses livres, qu'ils
concernent le Moyen Âge (les aventures du chevalier
Galeran de Lesneven), les Celtes, le Japon ou le futur
proche, explorent les marges et les limites du siècle, ses
frontières, zones de non-droit, pentes et berges où
vivent miséreux, assassins, parias et errants.

Site de l'auteur : www.vivianemoore.com

VIVIANE MOORE

LES GUERRIERS
FAUVES

L'épopée des Normands de Sicile

INÉDIT

« Grands Détectives »
dirigé par Jean-Claude Zylberstein

Du même auteur
aux Éditions 10/18

© Éditions 10/18, Département d'Univers poche, 2006
ISBN 978-2-264-04049-7

« Si tu ne te connais pas, sors. »

Cantique des Cantiques, I, 8.

LE LOUP
DE BARFLEUR

1

Il y a des chemins qu'on ne devrait jamais prendre, des gestes qu'on ne devrait jamais faire, des paroles qu'on ne devrait jamais prononcer…

Il regarda sa main. Ses doigts tremblaient. Il lâcha le couteau. Le tremblement passa à son corps tout entier. Un tremblement incontrôlable. Il aurait voulu crier, au lieu de quoi, il gémit. Un gémissement de bête blessée. Il aurait voulu pleurer, mais il ne savait plus.

Il s'était caché dans une maison en ruine envahie par le lierre. Des rats s'étaient enfuis à son approche, leurs cris aigus résonnant dans l'enfilade de pièces noyées dans les ténèbres.

La peur était là qui rôdait. Plus redoutable que la mort. À la fois en lui et hors de lui. Ombre sur les murs rongés de salpêtre, sur les portes branlantes et les volets disjoints.

— *On t'avait pourtant mis en garde,* fit la voix sous son crâne.

— *C'était sa faute, je n'y suis pour rien. Ce n'est pas moi. C'est lui qui est venu me chercher.*

— *Qu'est-ce que tu lui as fait ? Tu l'as touché ?*

— *Non, non. Je n'ai jamais recommencé. Jamais, jamais.*

— *Te souviens-tu de ton châtiment ?*

Des images de douleur l'assaillirent. Soudain un bruit de pas tout proche. L'homme se figea. Quelqu'un était entré dans la maison. La porte de la pièce où il se dissimulait s'ouvrit d'un coup, laissant un rai de lumière grise s'étirer presque jusqu'au corps sans vie qui gisait à ses pieds.

Un soldat se tenait dans l'encadrement. D'où il était, l'homme dissimulé dans la pénombre apercevait sa broigne de cuir sombre et la lance qu'il tenait à la main.

— Il y a quelqu'un là-dedans ? fit le soldat avant de répondre à l'un de ses camarades qui l'interpellait : J'te dis que j'ai entendu du bruit.

Il s'avança un peu, essayant de percer la pénombre des yeux. Dehors, ses camarades s'impatientaient. Le sergent grogna. La patrouille devait rentrer à la prévôté.

Le soldat était partagé entre l'envie d'aller de l'avant et celle de faire demi-tour. Désir d'oublier le soir qui venait, le froid, la fatigue et les colères du prévôt.

Une longue lame souillée de sang s'éleva dans l'obscurité, un couteau prêt à frapper…

— J'y vois rien, j'ai dû me tromper. Peut-être un chat qu'a fait son affaire à un rat, fit le soldat en rebroussant chemin. Attendez-moi, les gars ! J'arrive.

La porte claqua et se rouvrit toute seule.

L'homme entendit les pas qui s'éloignaient. Les plaisanteries des gens d'armes et le soldat qui protestait :

— Avec tout ce qu'arrive en ce moment chez nous à Barfleur ! Le prévôt veut qu'on trouve la bête, non ? Alors, ça va ! J'ai cru entendre des pas, j'vous dis !

2

La fillette passait tous les matins par la venelle reliant le port à l'hôtel-Dieu. L'endroit était sombre et, même par grand soleil, puait l'urine, l'ordure et les eaux sales, mais il lui évitait un long détour par les viviers. Ce matin-là, pourtant, elle s'arrêta net, un hurlement coincé au fond de la gorge, fixant, les yeux agrandis d'horreur, une silhouette recroquevillée sur le sol.

Ses jambes se mirent à trembler et elle sentit un liquide chaud dégouliner le long de ses cuisses jusqu'à ses pieds nus. Sa voix lui revint d'un coup. Elle hurla :

— À l'aide ! À l'aide !

Puis, certaine que personne ne viendrait la secourir, elle cria :

— Au feu !

Elle ne cessa que lorsque la ruelle crasseuse fut envahie de gens attroupés de part et d'autre du cadavre.

— C'est un gamin, commenta une femme qui s'était penchée avant de reculer précipitamment.

— Mais non…

— Si, si, un garçon, assura à nouveau la voix d'une robuste lavandière, son panier d'osier empli de linge sous le bras. Une malemort ! On l'a tué, c'est sûr. Comme les autres. C'est le loup !

— Poussez-vous ! grommela un cordonnier qui ne voyait rien d'autre qu'un mur opaque de dos et de nuques.

— Qu'est-ce que c'est ?

— Les gens d'armes arrivent ! brailla une voix au loin.

Le pas lourd et cadencé de la patrouille se faisait entendre. Cela calma aussitôt les commentaires des badauds qui s'écartèrent devant un homme au visage buriné que tous connaissaient à Barfleur. Un chien aux allures de loup, une bête aussi haute qu'un veau, l'accompagnait.

— C'est le prévôt Eudes ! s'écrièrent des gamines en reculant, effrayées par l'animal.

Les soldats écartèrent les derniers curieux. Leur chef maugréa en découvrant le corps :

— Sortez-moi tout ce monde de là ! ordonna-t-il. Apportez-moi une torche, on n'y voit rien.

Ses hommes s'exécutèrent et l'un d'eux revint avec un flambeau qu'il leva haut au-dessus du cadavre. Le regard vif du vieux soldat parcourut la scène : la terre piétinée par les badauds, l'absence de traces de sang sur les murs, celui coagulé sur la chainse[1] déchirée. La victime était un jeune garçon. Ses mains étaient abîmées par le travail, ses pieds nus calleux. Il se pencha et toucha le corps, déjà froid et marbré. Il se releva. Ce n'était pas là un fils de notable.

Eudes se sentit à la fois soulagé et en colère contre lui-même.

Le « loup », ainsi que le surnommaient les habitants de Barfleur, ne s'en prenait pour l'instant qu'aux petites gens. Le loup ! Tout ça parce que les victimes étaient massacrées avec sauvagerie ! Comme si l'humain n'en pouvait être capable ! Du coup, beaucoup de gens, même parmi les bourgeois, commençaient à accuser son chien d'être le coupable.

— Emmenez-le ! ordonna-t-il à ses hommes avant de sortir du passage et de se retrouver en pleine lumière, au milieu d'un cercle de curieux.

Les gens murmuraient entre eux, attendant ils ne savaient quoi de lui. Il soupira. Au loin la mer était basse et houleuse et le soleil y accrochait des éclats de lumière. Des barques échouées reposaient sur la vase. L'air sentait le sel et le varech. Tout avait l'air si paisible... Il se ressaisit, scruta les visages qui l'entouraient, et demanda :

— Qui l'a trouvé ?

La petite qui était restée au milieu de la foule, bousculée par les uns et les autres, ne répondit pas. Mais une lavandière la désigna du doigt.

— C'est elle, messire prévôt, c'est elle ! Elle criait « Au feu ! », c'est pour ça qu'on est venus ! fit-elle d'une voix hargneuse.

— Elle a eu raison. Reculez-vous tous ! Vous allez l'étouffer, cette gamine.

Les gens s'écartèrent et formèrent cercle autour de la fillette. L'homme d'armes l'examina. Le visage était clairsemé de taches de rousseur, les cheveux noirs, la

1. Cf. en fin d'ouvrage le glossaire ainsi que des notes sur les personnages historiques et une courte bibliographie.

peau rougie par le vent. Malgré le froid d'avril, la gamine – elle ne devait guère avoir plus de neuf ans – était pieds nus et vêtue d'une simple cotte de drap et d'un gilet de laine fermé par des boutons de bois. Le chien s'approcha d'elle, mais l'homme l'arrêta d'un claquement de langue.

— Tu le connaissais, celui-là ? demanda-t-il en désignant le garçonnet que ses soldats avaient recouvert d'un linceul.

L'enfant secoua la tête. Tout cela l'effrayait et elle ne pensait qu'à s'enfuir. Comme s'il avait compris, le prévôt la saisit par le bras.

— Allez viens, on va parler un peu, et après je te renverrai chez toi.

Terrifiée à l'idée de partir avec ceux-là qui ne prenaient jamais que les assassins et les voleurs pour les pendre ou les mettre au pilori, elle se débattit.

— Non ! Non ! J'ai rien fait ! Pitié !

Mais la main de l'homme la maintenait fermement.

— Allons, calme-toi ! gronda-t-il. Je ne te ferai pas de mal. Tiens-toi tranquille. Et puis, si tu te sauvais, mon chien te rattraperait. Il court aussi vite qu'un destrier mais il est moins aimable. Ses dents peuvent broyer le crâne d'un homme. Alors celui d'une gamine…

L'enfant glissa un regard apeuré vers l'animal et se tut.

— En avant, vous autres ! ordonna le prévôt.

Et la patrouille se mit en marche, escortée par une foule de plus en plus dense au fur et à mesure qu'ils traversaient la ville. Des maisons de bois, des abris de planches aux toits de joncs sortaient des gens que la rumeur attirait. Quand l'attroupement se faisait trop compact autour du brancard de fortune, les soldats frappaient les dos et les épaules de leurs gourdins. Ils longèrent les quais, traversèrent une place et arrivèrent devant la prévôté.

La maison forte était l'un des seuls bâtiments de granit de la ville avec le château, l'hôtel-Dieu et quelques demeures appartenant à des abbayes ou à des notables. Le portail d'entrée était défendu par des gardes revêtus d'épaisses cottes de cuir et de métal, armés de lances et de boucliers.

Ils s'écartèrent sur un signe du prévôt, laissant la patrouille pénétrer dans une cour où s'entraînaient de jeunes recrues. On n'entendait que leurs cris, les jurons de leur sergent, le fracas des épées et des boucliers entrechoqués.

— Vous autres, portez-moi le gamin au cachot des morts et prévenez le frère infirmier à l'hôtel-Dieu ! ordonna Eudes.

Il entraîna la fillette, ouvrit une porte et la poussa devant lui dans un couloir sans fenêtre qu'éclairait la lueur d'une torche. La gamine hésita.

— Avance ! dit-il. Suis le chien.

Ils repartirent et, enfin, la bête grise s'arrêta devant une porte de chêne cloutée. Eudes l'ouvrit avec la clé qu'il portait à la taille et poussa l'enfant à l'intérieur.

— Nous voilà chez moi !

On sentait de la satisfaction dans sa voix alors qu'il prononçait ces mots. La pièce était petite et avait pour seule fenêtre une étroite ouverture, mais un bon feu y brûlait et des torches fichées dans les murs l'illuminaient. Une odeur d'encens dissipait les relents d'urine et de sueur qui régnaient partout ailleurs dans la maison forte. Dans un angle se trouvaient un lit de camp recouvert de peaux de mouton et un tapis de jonc sur lequel le grand chien s'allongea. Près de la cheminée, sur une table à tréteaux, étaient posés des parchemins et une écritoire.

L'enfant restait plantée au milieu de la chambre, indécise. Eudes saisit un des fauteuils pliants qu'il ouvrit devant l'âtre et lui fit signe d'approcher :

— Viens t'asseoir. Quel est ton nom ?

La fillette obéit, puis une fois installée sur le siège trop haut pour elle, ses jambes se balançant dans le vide, elle lâcha d'une voix sourde :

— Erika.

— Bien, Erika. Mon nom à moi, c'est Eudes, et comme tu le sais peut-être, je suis ton prévôt. Lui, c'est

Tara. Une bête abandonnée par un équipage irlandais, un chasseur de loups dans leur île, là-bas. Les gens d'ici en avaient peur et ils voulaient le tuer. Je l'ai sauvé, depuis il me suit partout. Son seul défaut, c'est la faim. Il mange autant qu'un homme.

La gamine hocha la tête. Elle avait déjà vu le soldat sur le port avec son chien. Les gens s'écartaient devant le grand animal au museau recouvert d'un masque noir et aux brillants yeux vairons.

Le prévôt sentit qu'elle s'était calmée. Il questionna :

— Est-ce que tu connaissais le garçon qui est mort ?

La fillette secoua négativement la tête, puis ajouta, en fronçant les sourcils :

— Pour dire le vrai, j'l'as pas bien vu.

— C'est aussi ce qu'il me semblait. Nous irons le regarder ensemble si tu veux bien, et après tu pourras repartir. Quel travail fais-tu ?

À cette question, la petite se redressa fièrement.

— J'aide à l'hôtel-Dieu. Je sais coudre et tisser aussi.

— Et tes parents ?

— Mon père est mort en mer, ma mère est lavandière. On habite près de l'église Saint-Nicolas avec grand-mère.

Le prévôt s'était tu, la lueur du feu éclairait son visage fatigué. Il tendit les mains vers la chaleur, fixant les flammes. Le cadavre du gamin était le troisième en cinq jours. Et à Barfleur, faire justice était difficile, voire impossible. Comme dans tous les ports hauturiers, il y avait trop de marins, de marchands, de pèlerins de toutes sortes. Trop de passage. Il savait déjà que, comme tant d'autres, ce crime-là resterait impuni.

— Tu ne vas plus essayer de t'échapper ? finit-il par demander, la voix lasse.

— Non.

— Alors viens, nous allons voir si le visage de ce garçon te rappelle quelque chose. Tara, tu restes là !

L'animal, qui s'était levé en les voyant se diriger vers la porte, se rassit aussitôt.

Ils sortirent, croisant un soldat qui venait à leur rencontre.

— J'allais vous prévenir, messire prévôt, fit-il. Le frère infirmier est arrivé. Il vous attend en bas.

— Bien, bien. Avance, petite, et prends l'escalier sur ta droite. Oui, là, c'est ça.

Ils descendirent des marches ruisselantes d'humidité qui menaient à la partie souterraine de la prévôté. Des gardes s'écartèrent pour les laisser passer et ils entrèrent dans un ancien cachot aux murs recouverts de salpêtre. L'endroit servait à entreposer les cadavres des tueries de toutes sortes qui ensanglantaient périodiquement le port. Une torche éclairait les tables sur lesquelles reposaient des formes recouvertes de linceuls gris. Au fond, près d'une bassine d'eau, un moine était penché sur un corps. Il se redressa.

— Ah, vous voilà ! Je ne peux pas rester longtemps, j'ai affaire à l'hôtel-Dieu. J'ai commencé sans vous.

— Reste là, petite.

La gamine obéit, plantée sur le seuil, roulant des yeux effrayés et claquant des dents. La pénombre, les cadavres, l'odeur, tout cela était trop pour elle.

— Pourquoi amener cette fillette ici ? fit le moine.

— C'est elle qui a trouvé le corps.

— Alors, gardez-la à l'écart, il n'est pas nécessaire qu'elle voie autre chose que son visage.

— Attends-moi dans le couloir, je t'appellerai ! ordonna le prévôt.

La petite ressortit et se laissa glisser le long du mur, l'estomac secoué de nausées. Elle ferma les yeux, se racontant des histoires comme elle le faisait à chaque fois que la vie était trop dure.

Le moine se pencha à nouveau vers le cadavre.

— Ce garçon ne doit pas avoir plus de sept ou huit ans. Massacré comme les autres au coutel, puis achevé d'un seul coup en plein cœur.

Le religieux eut un geste large pour désigner le corps lacéré.

— Une fois le gamin mort, le tueur a gravé sa marque.

18

Le moine retourna le cadavre, montrant le dessin très reconnaissable de trois lettres : V R S, taillées dans la chair.

— Qu'est-ce que cela peut bien vouloir dire ? marmonna le prévôt en aidant le moine à remettre le garçon sur le dos.

— Je ne sais pas. Peut-être le sceau de l'assassin, peut-être autre chose.

— V R S, comme sur l'autre garçon et la fille. Vous n'avez pas vu d'autres violences ?

— Non. Il n'abuse pas d'eux. Mais je ne suis qu'un infirmier, sire prévôt, et malgré mon âge avancé, il est des créatures de Dieu dont les desseins m'échappent.

— À moi aussi, mon frère. À moi aussi.

Et le prévôt rabattit le linceul jusqu'au menton.

— Erika ! Tu peux venir.

La fillette avait entendu, mais elle garda les paupières baissées et ne bougea pas.

— Viens, te dis-je ! ordonna le prévôt qui l'avait rejointe dans le couloir et l'aida à se remettre sur ses pieds. Ceux-là sont morts. À ton âge, tu devrais pourtant savoir que ce sont les vivants qui sont à craindre !

La main dans celle du prévôt, Erika s'approcha lentement. La peau du garçon était livide mais, avec ses yeux clos, il avait l'air de dormir. C'était moins dur qu'elle n'avait pensé.

— J'le connais pas, jeta-t-elle avant de reculer.

— Tu es sûre ?

— Oui.

— Tu sais qu'il y a eu d'autres enfants morts ?

La fillette hocha la tête. Elle n'avait plus qu'une envie, revoir le soleil, sentir l'odeur de sel sur ses lèvres, l'eau et le sable sous ses pieds nus. Eudes fit signe au moine de l'attendre et entraîna Erika vers l'escalier. Il ouvrit la porte donnant sur la basse-cour. La gamine cligna des yeux dans la lumière.

— File, petite ! grommela Eudes. Que Dieu te garde.

Erika ne se le fit pas dire deux fois et détala.

19

3

Deux jours avaient passé depuis la mort du petit gars, un fils de pêcheur dont plus personne bientôt ne se souvint, pas même les siens qui avaient d'autres bouches à nourrir. Le prévôt n'avait pas trouvé l'assassin, et même si ses patrouilles continuaient à sillonner Barfleur, il avait renoncé à poursuivre une enquête dont personne, au fond, ne se souciait sauf lui et l'infirmier de l'hôtel-Dieu.

Sur le port, on ne parlait plus que des bateaux qui allaient prendre la mer : une esnèque, un navire de guerre armé, disait-on, par le roi Henri lui-même, et un knörr, un navire de charge affrété par un marchand. Une longue file de chariots et de porteurs convoyaient les caisses et les ballots sortis des entrepôts. Les marins de l'esnèque embarquaient les victuailles et l'eau douce.

L'homme de gouvernail du navire de guerre, le stirman, veillait à tout. C'était un gaillard du nom de Harald, originaire de Norvège comme Knut; son « maître de la hache ». Les deux hommes, aussi hauts et larges l'un que l'autre, avaient des yeux d'un bleu délavé, le cuir tanné par les vents et des mains comme des battoirs de lavandières.

Dans le port à flot de Barfleur, l'esnèque, sa coque peinte de rouge et de jaune, dansait sur la houle. Elle avait la ligne effilée des « serpents », la silhouette et la voilure carrée des navires vikings. Construite à Portsmouth comme l'*esnecca regis*, le navire du roi Henri II, elle naviguait depuis cinq ans sur les mers froides.

Le regard du stirman se tourna à nouveau vers le chantier naval en contrebas. Dans les cales sèches, des calfats jointoyaient les bordées avec de l'étoupe tandis que des ouvriers recouvraient le fond des coques de brai, un résidu de résine.

Le mois d'avril touchait à sa fin. La mer était plus calme, le froid moins intense et, même s'il pleuvait souvent, l'activité avait repris à Barfleur. Les premiers marchands arrivaient pour attendre les bateaux qui allaient leur livrer l'alun, le safran, la cochenille, le pourpre ou le fer des Asturies... D'autres se préparaient à confier aux marins le sel, le vin, les futaines, les harengs, les céréales.

Mousses, calfats, rameurs ou pilotes cherchaient des navires sur lesquels embarquer. Dans l'une des bâtisses de bois sur le port, des maîtres voiliers taillaient et recousaient les larges voiles carrées. Dans une autre, les charpentiers inspectaient les cyprès et les chênes coupés au solstice d'été. Le bois était sec et dur, ils allaient bientôt pouvoir l'attaquer à la hache.

— Nous levons l'ancre demain, jeta Harald qui surveillait le travail de ses hommes.

Knut ne répondit pas, les yeux braqués vers l'esnèque. Il changea d'épaule la lourde doloire, la hache à un seul tranchant qui ne le quittait jamais.

— Nous n'avons jamais été aussi loin de ce côté de la mer, toi et moi, reprit Harald.

— Non, répondit enfin le maître de la hache. Mais notre serpent saura nous y mener.

Le silence retomba entre les deux hommes. Cinq ans qu'ils naviguaient ensemble, aussi taciturnes et travailleurs l'un que l'autre, ils avaient la même passion pour la mer et pour leur navire.

— Tu connais Magnus le Noir ? demanda soudain l'homme de gouvernail.

Le charpentier jeta un bref regard vers son compagnon avant de reporter son attention sur le large.

— Je l'ai rencontré à l'époque où je naviguais à bord de l'*esnecca regis*. On le dit fils déchu d'un prince du Nord.

Il n'ajouta rien et le stirman enchaîna :

— Cinq jours qu'il est arrivé de Caen avec ses hommes, escortant un chariot bâché. Ils sont dix.

— Plus les nôtres et ces deux étrangers que nous devons embarquer. Nous serons donc un peu plus de quarante à bord.

— Avec un chargement dont nous ne savons rien... Seulement qu'il nous faudra l'amener jusqu'en Sicile.

— Pour qu'Henri II se sépare de Magnus le Noir, ce doit être précieux, renchérit Harald.

— Je n'aime pas ça. Magnus a été discret et les coffres qu'il transportait sont déjà à bord sous bonne garde, mais je suis sûr que tout le monde ici sait que notre bateau a été affrété par le roi et que sa garde d'élite sera du voyage.

— Ils peuvent penser que c'est pour nos passagers...

Knut haussa ses larges épaules.

— Je n'ai pas besoin d'être rassuré, je dis seulement que nous risquons des attaques aux escales et en mer, voilà tout. En plus, nous escortons ce knörr. Il va nous ralentir. Et une fois en Méditerranée... on m'a parlé des dromons des Sarrasins. Ils sont plus lourds et hauts que nos vaisseaux.

— Mais moins rapides et souples que notre serpent.

Une grimace, qui se voulait un sourire, éclaira le visage du charpentier qui se tut.

4

Même si elle portait le nom du roi – il s'y était arrêté un soir de tempête – l'auberge *Henri II* n'était qu'une pauvre bâtisse de bois servant de logis aux voyageurs et de taverne aux marins. Au rez-de-chaussée, il n'y avait qu'une fenêtre que personne n'ouvrait jamais. La grande cheminée tirait mal, les chandelles étaient rares et la fumée noyait les contours de toutes choses. À ceux qui s'en étonnaient, l'aubergiste répliquait que ses clients n'étaient pas là pour voir ni être vus, et que les pichets comme les gigots trouvaient toujours le chemin de leur gosier. Ce qui devait être vrai puisque l'auberge ne désemplissait pas et que tous semblaient trouver plaisir à errer dans cette pénombre chaude et chargée d'odeurs de viandes rôties et de bière.

Un escalier branlant menait à l'étage où s'ouvraient cinq chambres dont celle de l'aubergiste. Au grenier s'entassaient sacs de grains et de farine. Quant à la salle basse, elle se partageait en deux. D'un côté quelques tables et des bancs permettant de s'asseoir pour dévorer les gigots qui rôtissaient de l'aube jusqu'au couvre-feu. De l'autre, une taverne où chacun buvait son pichet debout ou s'asseyait sur des nattes de jonc pour lancer les osselets ou les dés.

Cet après-midi-là, alors que l'aubergiste surveillait ses aides, deux clients entrèrent : le premier était un vieil homme, l'autre une femme enveloppée d'un mantel à capuche qui dissimulait ses traits. Ils s'arrêtèrent, indécis, à quelques pas de lui. Ce n'était pas si courant de voir des femmes à l'auberge et cela éveilla l'intérêt de l'homme, plus habitué aux puterelles qu'aux dames. Et celle-là, il en aurait mis sa main au feu, était une dame. Pas une baronne, il avait rapidement jaugé la qualité du drap, le cuir des chaussures, les malles que l'on avait déposées au pied de l'escalier. Mais une dame tout de même.

Il s'approcha.

— Holà ! fit le vieux en l'apercevant. Nous cherchons après le tavernier.

— Que lui voulez-vous ?

— On n'y voit goutte chez vous, fit le vieux en se raclant la gorge. Toute cette fumée... Ma maîtresse aimerait une chambre pour la nuit. Quant à moi, je me contenterai d'une couverture dans le foin de vos écuries.

L'aubergiste ne répondit pas. À cause du départ prochain des bateaux, il n'avait plus de lits. Une grimace tordit ses traits. Après tout, si celle-là payait bien, il louerait sa propre chambre et dormirait dans la paille du grenier.

— Pour l'écurie, ça ira. Pour le reste, dis à ta maîtresse que j'suis complet.

Un bref désarroi se peignit sur le visage du serviteur.

— Toutefois, ajouta le tavernier, je peux vous laisser
ma chambre.

C'est la femme qui demanda, d'une voix jeune au tim-
bre haut et clair :

— Combien ?

— Vous venez d'où ?

— Que t'importe ! fit-elle en faisant jaillir de sa manche une pièce qu'elle lui lança.

L'homme l'attrapa avec adresse, mordit dedans et la
fit disparaître dans la poche de son vaste tablier.

— C'est vrai. Du moment que vous payez. Affaire
conclue.

— Et tu donneras le souper à mon serviteur et une couverture pour la nuit.

— Oui-da.

Il se tourna et héla l'un de ses gens.

— Viens par ici, toi !

Le jeune gars accourut.

— Monte ces coffres dans ma chambre.

Puis s'adressant à la femme :

— Suivez-le, ma dame, il va vous montrer où c'est
qu'vous logez.

— Merci l'aubergiste. Peux-tu me dire où est le
navire marchand qui doit prendre la mer au matin ?

— Dans le port à flot avec l'esnèque, c'est les seuls
qui soient prêts. Le Lombard qui l'affrète vient ici chaque soir, si vous voulez lui parler.

— Non, mais tu le préviendras que ses passagers
sont arrivés. Qu'il nous fasse chercher au matin avec
nos bagages.

— Bien.

Quelques instants plus tard, les malles posées sur le
plancher, le serviteur referma la porte de la chambre.
D'un rapide coup d'œil circulaire il jaugea la taille de la

pièce et la propreté des murs passés à la chaux. Enfin, il se pencha sur la paillasse recouverte d'un drap et d'une couverture de grosse laine.

La jeune femme avait ôté sa capuche, révélant une abondante chevelure brune retenue par un ruban, d'immenses yeux bleus et un visage aux traits réguliers, quoique encore enfantins. Elle avait tout juste dix-sept ans et les années, jusqu'à la mort de sa mère, avaient été douces. Elle se pencha à la fenêtre pour regarder les toits de joncs et de schistes des maisons qui bordaient la venelle dans laquelle s'enfuirent des rats. Le soleil allait bientôt se coucher et une soudaine fatigue l'envahit. La route avait été longue depuis le manoir familial jusqu'au port de Barfleur. Elle se retourna.

— En as-tu enfin fini avec cette literie ? demanda-t-elle.

— Oui, maîtresse, il n'y a ni poux ni puces. Vous pouvez dormir tranquille. Mais l'endroit ne me plaît qu'à moitié, je préférerais garder votre porte cette nuit.

La jeune fille montra le poignard dissimulé dans les plis de sa robe.

— Non, Gautier, je sais me défendre et je pousserai mes malles devant la porte. Tu dormiras aux écuries et tu prendras un bon repas avant. Mais d'abord, va me chercher un bol de soupe et du pain. Je meurs de faim. Et aussi une chandelle et un broc d'eau pour ma toilette.

— Bien, maîtresse. Je reviens.

Il avait déjà la main sur la poignée de fer de la porte.

— Gautier…

Elle hésitait.

— Oui, maîtresse ?

— Nous allons partir bien loin.

Le serviteur hocha la tête. L'inquiétude qu'il sentait chez sa maîtresse le renvoyait à ses propres peurs. Et depuis que son seigneur lui avait confié sa fille, il avait tant d'angoisses qu'il ne les pouvait compter. Mais au milieu de toutes, une seule chose le terrifiait vraiment :

— Je ne sais pas nager, avoua-t-il.

À cette déclaration faite d'un ton pitoyable, Eleonor se retint d'éclater de rire pour ne pas vexer le vieux serviteur. Il avait bien des défauts son Gautier – susceptible, menteur, glouton, buveur, poltron –, mais bien des qualités aussi. Et puis, quand elle était petite, c'était lui qui lui avait appris à chasser et à pêcher, lui qui l'emmenait dans les bois écouter le brame du cerf... et la consolait quand elle avait mal.

— Nous n'aurons pas à nager, protesta-t-elle. Seulement à nous habituer à la vie sur un bateau.

Mais le serviteur, les sourcils froncés, continuait :

— Oui, mais même ça, maîtresse, je vais être malade, c'est sûr... Et puis, toute cette eau autour de nous. Avec des poissons dedans...

— Gautier !

— Les hommes ne sont pas faits pour aller sur l'eau mais sur terre. On a des pieds et des mains, pas des nageoires !

La jeune fille posa sa main sur l'épaule du vieux que cette simple pression calma aussitôt.

— Je crois surtout qu'il faut que tu manges, déclara-t-elle. Ça ira mieux après.

Au mot « manger », Gautier leva le nez et réalisa qu'une appétissante odeur de graisse de mouton montait jusqu'à ses narines.

— C'est ma foi vrai. Avec tout ça, j'm'en rendais même pas compte. J'vais vous chercher vos affaires. N'ouvrez à personne, je frapperai deux coups.

— Ne t'inquiète pas.

Une fois Gautier sorti, la jeune fille se laissa tomber sur sa paillasse, ôta ses souliers de cuir et poussa un soupir d'aise en posant ses pieds nus sur le plancher. Elle ouvrit une de ses sacoches et sortit un miroir d'étain. Elle se mit à brosser ses cheveux en examinant son reflet dans le métal poli puis s'arrêta.

— Sylvestre de Marsico, murmura-t-elle. Je me demande si vous êtes jeune et beau comme me l'a juré mon père ou si, au contraire, vous êtes laid et si vieux que je n'oserai me déshabiller devant vous.

Des images affluaient et elle se sentit rougir. Elle avait déjà vu des corps d'hommes nus à la rivière. Elle s'était baignée, elle aussi, sans rien d'autre pour se cacher que la parure de ses cheveux. Elle avait surpris serviteur et servante dans la paille des greniers. Ce n'était ni la nudité ni l'amour qui la gênait. Elle savait comment on naissait et mourait, et pourtant… Elle avait du mal à s'imaginer s'offrant corps et âme à cet inconnu, là-bas aux portes de l'Afrique.

— Vous aimerai-je, sire de Marsico, ou vous haïrai-je ?

Elle observa avec attention l'arc de ses sourcils, le bleu clair de ses yeux, la courbe de son front blanc, le dessin de ses lèvres.

— Si, au moins, je savais qui je suis et ce que je veux. Je sens en moi tant de sentiments contraires, tant de désirs aussi, que cela m'effraie.

Elle reposa d'un geste brusque le miroir à côté d'elle.

Dans la venelle, derrière l'auberge, un sifflement énergique avait retenti. Une voix répondait à une autre :

— Oui, mon seigneur.

Un bruit mat, quelque chose était tombé sur le sol.

Quand elle se pencha, elle aperçut un homme qui ramassait une bourse, puis d'un seul coup, à croire qu'elle avait rêvé, le passage fut désert. Elle se pencha davantage, essayant en vain de voir de quelle fenêtre venait l'argent.

On frappa deux coups sur le vantail.

— C'est moi, Gautier. Ouvrez !

Elle courut pieds nus jusqu'à la porte, tourna la clef et s'écarta pour laisser passer le vieil homme qui déposa sur le coffre un bol de soupe et une miche de pain.

— Je vous ramène de l'eau et la chandelle. Avez-vous besoin d'autre chose ?

La jeune fille faillit parler de l'homme dans la venelle, mais elle se retint et secoua négativement la tête. Elle n'aurait su décrire ce qui s'était passé. Un homme avait payé un autre, mais pourquoi ? Quelque mauvais coup se tramait là dont elle ne comprenait pas le sens. Gautier ressortit. Elle haussa les épaules, se moquant de sa trop grande imagination. Elle se jeta sur son bol de soupe et dévora le pain à belles dents.

Elle n'avait pas fini qu'on frappait de nouveau. Gautier déjà ! Elle courut ouvrir et resta interdite. L'homme était mince et brun, avec un visage à la peau sombre dans lequel brillaient deux yeux d'un noir profond, ombrés de longs cils. Une vaste cape de drap noir cachait mal des vêtements rehaussés de broderies d'or. La garde ouvragée, ornée de pierres rouges, d'un cimeterre dépassait de son habit. Il parut aussi surpris qu'elle par son apparition et regarda l'enfilade des portes avant de s'incliner légèrement :

— Excusez-moi, damoiselle.

La voix était douce, teintée d'un accent chantant.

— Tout va bien, maîtresse ? fit Gautier qui venait de déboucher dans le couloir avec son broc à eau dans une main et une chandelle dans l'autre.

Elle se reprit.

— Oui. Messire, que voici, a juste cogné à la mauvaise porte.

— Mauvaise… Je n'oserais dire cela, protesta l'inconnu. Mon nom est Hugues de Tarse, damoiselle. Pardonnez-moi encore.

Et avant que la jeune fille ait pu répondre, il s'était éloigné, donnant deux coups secs sur le vantail de la dernière chambre qui s'ouvrit aussitôt et dans laquelle il s'engouffra.

Gautier resta les yeux écarquillés :

— Un Mau…re, damoiselle, un… un Maure ! finit-il par bafouiller.

5

Il faisait nuit quand Hugues et Tancrède descendirent manger. Des notables de la ville, reconnaissables à leurs habits, discutaient au pied de l'escalier et ils s'écartèrent en murmurant pour les laisser passer. Hugues saisit les mots « loup » et « cadavres ».

La salle basse était noyée dans une pénombre chargée d'odeurs. Éclats de voix et rires sonores se mêlaient en un joyeux brouhaha.

— J'ai une faim à dévorer un troupeau entier, déclara le jeune homme en glissant ses longues jambes sous le plateau de la table que leur avait réservée l'aubergiste.

Hugues ne répondit pas, l'air préoccupé. Son regard s'était arrêté sur un groupe de marchands. L'un d'eux, très brun et richement vêtu, maniait la langue de ses interlocuteurs normands avec aisance, mais tout en lui indiquait le Lombard. L'Oriental saisit les mots « cuirs », « ambre », « épices »… Près de la cheminée, un pèlerin, reconnaissable à son mantel cousu d'une coquille Saint-Jacques et à son bâton, s'esclaffait avec les gamins qui s'activaient aux broches. Puis Hugues observa une table où avaient pris place cinq guerriers vêtus de capes noires, une hache de guerre en travers du dos. Ceux-là ne riaient pas. Ils mangeaient en silence, avec des gestes rapides, l'œil en éveil. Celui qui semblait leur chef était un géant au crane rasé, le visage couturé de cicatrices.

— J'ai du mal à croire que nous sommes ici, continuait Tancrède. Je n'avais jamais vu autant de bateaux de ma vie. Et ce chantier ! C'est fascinant cette façon qu'ont les maîtres de la hache de tailler et d'assembler les coques…

— Du gigot, mon beau sire, une miche de pain blanc et du vin de Gascogne ? proposa une robuste matrone qui faisait le tour de ses clients.

Habillée d'une cotte de toile, pieds nus dans ses sabots, un tablier sale noué à la taille, les manches retroussées sur des avant-bras aussi larges que des cuisses, la femme s'était penchée vers eux, sa robuste poitrine débordant de son corsage, les paumes à plat sur la table.

— Ça ira très bien, approuva Hugues.

La femme se redressa, non sans avoir coulé un regard approbateur sur les larges épaules et la chevelure blonde de Tancrède. Elle revint rapidement, posant devant eux un plat de terre sur lequel reposait un gigot entier à la peau dorée, puis une livre de pain et deux pichets de vin coupé d'eau.

— N'êtes point d'ici ? constata-t-elle en dévisageant Hugues. N'avez pas l'allure ni la défroque des pèlerins de saint Jacques. Des marchands, peut-être ?

— C'est ça, fit l'Oriental en lui tendant l'argent du repas. Tenez, payez-vous, la femme.

— Remarquez, c'que j'en disais… malgré votre peau foncée, vous êtes plutôt bien de votre personne… Pis nous ici, on a l'habitude des croisés, y viennent souvent avec des plus foncés que vous. Merci, mon beau sire, répondit-elle avec un sourire édenté. N'avez plus besoin de rien ?

— Non. Ah si ! Un renseignement. Vous savez qui sont ces gens, là-bas ? demanda Hugues en désignant la tablée de guerriers.

— C'est la première fois que je les vois à la taverne, répondit la femme. Mais celui du bout s'appelle Magnus le Noir. C'est point des drôles…

La robuste femme s'était tournée vers Tancrède qu'elle dévisagea avec aplomb.

— Vous, fit-elle, vous pourriez être du coin. Mais c'est vos yeux qui sont point d'chez nous. Trop verts, et en amande avec de longs cils comme une fille.

Elle lui fit un clin d'œil entendu.

— Avec des yeux comme ça, sûr qu'elles doivent pas vous résister longtemps ! Remarquez, moi, vous seriez dans mon lit que je m'ensauverais pas. Parole !

Le jeune homme s'empourpra, mais la grosse servante était déjà repartie en gloussant.

— Je crois que vous l'avez séduite, remarqua Hugues avec un sourire en coin.

Tancrède haussa les épaules. Il avait sorti son couteau et découpa un morceau de gigot, qu'il posa sur une large tranche de pain.

— Dommage que vous manquiez de repartie, insista l'Oriental. Il est vrai que je n'ai pas prévu ce genre de situation dans l'enseignement que je vous prodigue.

— Toutes celles que j'avais me sont venues après, avoua piteusement Tancrède. Et puis, je ne crois pas que j'aurais eu le dessus.

— C'est vrai, approuva Hugues en se servant à son tour.

Les hommes à la hache sortirent. Hugues qui, tout en mangeant, observait ce qui l'entourait, remarqua qu'un homme vêtu d'un ample mantel gris s'était dirigé vers un jeune et solide gaillard qu'il avait jusque-là feint d'ignorer. Ils discutèrent puis s'en allèrent ensemble.

« Sans doute, quelque mauvais tour qui se prépare », se dit-il en remarquant que le plus jeune boitait bas. L'autre était mince et grand, mais il n'avait pu voir son visage.

Voleurs et assassins pullulaient dans ces lieux où se croisaient nobles seigneurs, riches marchands et armateurs.

— Quel nom a-t-elle dit en parlant de ceux-là ? demanda Tancrède.

— Pardon… fit Hugues qui eut un peu de mal à saisir de quoi il retournait. Ah, oui ! C'est Magnus le Noir, j'aurais dû m'en douter, d'Aubigny m'en avait parlé. Il sera à bord de notre esnèque. C'est la garde spéciale envoyée par Henri II pour escorter son présent jusqu'en Sicile. Une unité d'élite.

— Quel présent ?

— Nul ne le sait, sans doute des pièces d'orfèvrerie comme seuls les rois et les princes savent en offrir à leurs pairs. Il y a eu de nombreux changements politiques en Sicile depuis la mort de Roger II et Henri veut montrer qu'il reconnaît Guillaume Ier comme le digne successeur de son père. Avec ce qui se passe en Orient, la Sicile est d'une grande importance stratégique.

— Ces hommes-là ne ressemblent guère aux guerriers normands que nous avons rencontrés jusqu'ici.

— Non. Vous avez raison, ils sont différents. Certains combattaient dans les Pouilles. Il ne restait jamais grand-chose de vivant après leur passage.

Une ombre passa sur le visage d'Hugues.

— Mais je vous en parlerai quand nous serons plus au calme.

Quelques instants plus tard, alors que les deux compagnons achevaient leur gigot, un homme entra, escorté d'un grand chien gris aux allures de loup. Les gens s'écartaient devant eux.

— Saleté de bête ! marmonna un marin en crachant par terre.

Eudes se dirigea vers les notables et salua le marchand italien.

— Le prévôt de la ville, fit Hugues. Il faudrait que nous nous présentions à lui, d'Aubigny me l'a fait promettre. J'ai cru comprendre qu'il avait fort affaire en ce moment avec une histoire de gamins assassinés.

— Comment savez-vous tout cela ? remarqua Tancrède. Nous ne sommes arrivés que depuis hier et déjà, j'ai l'impression que vous connaissez tout le monde.

— J'aime à discuter avec les petites gens. Il est peu d'hommes ou de femmes qui n'apprécient qu'on leur prête une oreille attentive…

Une voix féminine les interrompit. La servante était revenue.

— Si vous avez fini, mes beaux sires, j'vas vous trouver de la place dans la salle à boire. Y en a qu'ont besoin de la table.

Les deux hommes se levèrent. Sa lourde poitrine fendant les rangs des habitués comme une étrave de navire l'eût fait des vagues, la robuste femme les entraîna vers une natte de jonc dans un angle de la taverne.

Hugues nota avec satisfaction qu'un pilier les protégeait de la vue et que la sortie était proche. Les échauffourées étaient fréquentes dans ces lieux où bière et vin coulaient à flots.

— Asseyez-vous là, messires, vous serez bien. Vous voulez de la bière ou du cidre ? Moi je vous conseille notre bière, c'est la meilleure du duché. Même notre roi Henri en boit.

— Alors, va pour la bière.

La femme revint avec deux pichets remplis à ras bord et une assiette de terre sur laquelle étaient empilées de fines lamelles de porc grillé.

— Ce sont des carbonnées ! Ça glisse tout seul. Pis, ça donne soif ! Un de nos habitués, un Flamand, nous a dit qu'ils faisaient ça aussi par chez eux.

Hugues lui glissa une pièce et les deux hommes s'assirent en tailleur. Non loin d'eux, des joueurs lançaient les dés tandis que de jeunes mousses jouaient aux osselets. Des marins, reconnaissables à leurs habits de grosse toile et à la forme effilée des couteaux pendus à leur ceinture, descendaient pichet sur pichet puis sortaient pour pisser dans la venelle voisine avant de revenir lever à nouveau le coude.

Une épaisse fumée, venue de la cheminée qui refoulait, planait au-dessus d'eux. Les lampes à huile disposées dans les niches jetaient de faibles lueurs sur les visages les plus proches, éclairant ici une balafre, là un rictus ou un sourire béat d'ivrogne.

— C'est vrai que ça donne soif, ces carbonnées, remarqua Tancrède en buvant une nouvelle rasade.

Les yeux lui piquaient. Il avait trop mangé, trop bu sans doute, mais il s'était rarement senti aussi bien.

— C'est fait pour, répondit Hugues avec un sourire en coin.

— Je n'arrive pas à croire que nous partons demain, finit par confier le jeune homme. Cet hiver a été le plus long de ma vie.

— Ce n'est guère aimable pour l'hospitalité du sire d'Aubigny.

— Vous savez très bien qu'elle n'est pas en cause. Mais après ce qui s'est passé à Pirou[1], j'avoue que je n'avais guère envie de m'enfermer à nouveau dans un château.

— Notre séjour y a pourtant été fort utile, croyez-moi. Et puis, l'hiver a été si redoutable, nous étions mieux là qu'ailleurs...

Des images de campagnes ravagées par le froid leur revinrent. Des dépouilles d'animaux. Des troupeaux de cerfs et de biches sortant des bois pour chercher leur nourriture aux abords des maisons. Des loups s'attaquant aux villageois. Des nuées de corbeaux. Et tous ces cadavres aux membres raidis, posés contre les chambranles des maisons en attendant que le dégel permette de creuser la terre...

— Une fois encore vos talents de mire ont été bien utiles, remarqua Tancrède en se souvenant de cet enfant gelé que son maître avait ramené à la vie.

— Vous aussi, bientôt, vous saurez tous ces gestes. Je repense à d'Aubigny. Cela ne m'étonnerait pas qu'un jour ou l'autre il vienne nous voir en Sicile. Savez-vous la drôle de nouvelle qu'il m'a annoncée peu avant notre départ ?

— Non.

— Serlon de Pirou s'est remarié et son épouse porte fruit. Peut-être aura-t-il enfin un héritier mâle.

Le beau visage de Tancrède se ferma. Il revoyait le corps blanc, lisse et doux de la jeune femme prise dans la mer gelée...

— Vous ne l'avez pas oubliée, n'est-ce pas ? fit Hugues qui l'observait.

— Je ne l'oublierai jamais, affirma le jeune homme.

Une soudaine mélancolie ombra le regard d'Hugues de Tarse. Il allait répondre, mais un hurlement de rage les interrompit.

1. Voir *Le Peuple du vent*, 10/18, n° 3890.

— Tricheur ! cria un marin en se jetant sur l'un des joueurs. Rends-moi mon argent ou je donnerai ta carcasse à manger aux poissons !

Le joueur esquiva son assaillant, mais perdit l'équilibre. On entendit un bref grognement du chien du prévôt que celui-ci retint en l'attrapant par le cou. Déjà les deux hommes roulaient au sol. D'autres marins s'empoignaient. Hugues se leva et entraîna Tancrède à l'extérieur. Le prévôt les avait imités et, bientôt, le son de sa trompe retentit dans la ville endormie. Les gens d'armes qui patrouillaient non loin de là arrivèrent au pas de course et se précipitèrent en force à l'intérieur de l'auberge, frappant du gourdin les récalcitrants.

Les deux amis s'étaient éloignés à pas lents, respirant l'air froid à pleins poumons. La nuit était claire et la lune scintillait sur la mer. Ils longèrent le quai, fixant la silhouette dansante de l'esnèque dans le port à flot. Ici, tout était calme. L'eau clapotait le long des quais de pierre. Les barques se balançaient à leurs anneaux.

Au loin retentit la cloche du couvent des Sachets. À cette heure tardive, à la clarté argentée de la lune, la silhouette du château se découpait avec netteté. Une chauve-souris les survola.

— Il est magnifique ! fit Tancrède, ne se lassant pas de regarder le navire qui allait les emmener vers la lointaine Sicile.

— Oui, approuva l'Oriental. Il n'y a que les maîtres charpentiers normands pour dessiner des coques comme celle-là. Je préfère naviguer sur une esnèque que sur les lourdes nefs affrétées par les Pisans ou les Génois. Elle tient la vague et est si souple qu'elle fait corps avec elle, vous verrez, c'est une sensation extraordinaire.

— Vous savez tant de choses…

Une voix aiguë de femme appelait à l'aide. Dans la pénombre d'un entrepôt, ils aperçurent deux silhouettes, dont l'une enveloppée d'un mantel, en train de se battre. Avant que son maître ait pu dire un mot ou faire un geste, Tancrède s'était élancé. L'Oriental haussa les épaules et le suivit sans se presser, amusé de le voir à l'œuvre. Tancrède était déjà sur l'homme qu'il repoussa d'une bourrade.

— Mettez-vous derrière moi, ma dame ! ordonna-t-il.

Il menaçait l'homme de son cimeterre.

— Et toi, file ou, par Dieu, je te fais un mauvais sort !

L'agresseur le défia du regard, un mauvais sourire aux lèvres. Un frisson courut sur la nuque du jeune homme en même temps qu'il entendait le bref cri d'alarme de son maître. Il était tombé tête baissée dans un traquenard, une ruse éculée tout juste bonne pour les puceaux ! Il tourna la tête juste à temps pour voir le visage patibulaire de celui qu'il avait pris pour une femme et éviter son coup de couteau. La lame déchira sa cotte, mais n'entailla pas sa chair. Il jura et, faisant un large moulinet de son sabre, il trancha la main armée et se remit en position de combat. Le bandit déguisé en femme tomba à terre en hurlant.

D'autres silhouettes sortaient de l'ombre. Ils étaient une dizaine autour de lui, armés de crocs, de couteaux, de haches et de gourdins. Il entendit au loin le sifflement de la lame d'Hugues.

— Tue ! Tue ! répétaient les marauds en avançant.

Il s'adossa au mur et attendit l'assaut, sa lame brandie devant lui.

6

Deux corps sans vie gisaient déjà aux pieds d'Hugues qui, tout en se battant, essayait de se rapprocher de Tancrède. L'Oriental avait laissé tomber son mantel. Il portait un gilet de cuir sur sa longue chemise et son pantalon. Ses gestes étaient rapides et sûrs. Il frappait d'estoc et de taille, laissant à chaque assaut de longues estafilades sanglantes sur le corps des bandits. Pas un geste, pas un coup qui ne portât.

Les autres s'étaient arrêtés, indécis, puis trois d'entre eux le chargèrent en hurlant. Hugues se ramassa sur lui-même. Il respirait lentement et frappa si vite que sa lame trancha bras et jambes avant que quiconque la puisse éviter. La morsure d'un croc lui entailla la jambe. Le cimeterre frappa à nouveau et la tête de celui qui avait rampé pour lui couper les jarrets roula à quelques pas de là avant de tomber dans le bassin.

L'un des assaillants exhorta les survivants à se battre. Ils étaient maintenant six à terre, morts ou blessés. Soudain, poussant un terrible cri de guerre, Hugues chargea. Un homme tomba à genoux, tenant son moignon de bras d'où le sang giclait. Un autre s'effondra, le ventre entaillé d'une blessure si profonde qu'on lui voyait les entrailles. Les derniers s'enfuirent.

Hugues essuya sa lame sur l'un des cadavres. Aux pieds de Tancrède gisaient trois blessés et un corps sans vie. Le jeune géant blond frappait et feintait sans relâche. Accompagné du sifflement de sa lame, il donnait l'impression de danser.

Tout en fouillant du regard les ruelles sombres, Hugues le rejoignit, admirant avec satisfaction la force et la précision des esquives et des assauts de son protégé.

Le dernier des marauds attaquait, un gaillard haut et large avec une gueule balafrée, la bave aux lèvres comme un furieux et qui se battait avec un croc d'une main, un coutel de l'autre.

« Un homme habitué au corps-à-corps dans les bateaux », songea Hugues en reconnaissant les ruses et les coups bas utilisés par les marins pendant les abordages.

Tancrède tenait bon, déjouant toutes les attaques, le visage calme. Mais, d'un seul coup, sa chance tourna, il recula, esquivant le croc, et son pied se prit dans un rouleau de cordage. Il bascula et son cimeterre lui échappa. L'autre poussa un cri de victoire. Il allait se jeter sur lui pour l'achever quand, avant même qu'Hugues ait pu intervenir, un poignard fendit l'air et perça la gorge du gaillard qui s'effondra sur Tancrède, un flot de sang lui jaillissant de la bouche.

Un homme était apparu. C'était le jeune marchand aperçu à la taverne. Il souriait comme s'il se promenait en plein jour au bras d'une femme.

— Je sais que vous n'aviez pas besoin de moi, remarqua-t-il avec son fort accent. Je me présente, mon nom est Giovanni Della Luna. J'étais dans mon entrepôt quand j'ai entendu le bruit de cette échauffourée. De la belle ouvrage, vraiment.

Tancrède avait repoussé le cadavre et s'était relevé d'un bond, essuyant sa cotte souillée de terre et de sang.

— Je sais quant à moi que j'avais besoin de vous, sire Della Luna. Mon nom est Tancrède. Je vous dois la vie, fit-il en lui tendant la main.

Giovanni la saisit brièvement puis s'inclina pour récupérer sa lame qu'il essuya sur une touffe d'herbes.

— Vous étiez à l'auberge tout à l'heure, remarqua Hugues dont les doigts agiles fouillaient les vêtements du mort.

— Oui, tout comme vous, messires. J'allais rentrer à mon logis, non loin d'ici, chez Guillaume de Saint-Jean, dans la maison de l'évêque de Coutances. Et j'avoue que je préfère que ceux-là soient tombés sur vous plutôt que sur moi. Le prévôt m'avait prévenu qu'il y avait des marauds et des assassins la nuit venue, mais je ne les pensais pas si nombreux… Eudes va devoir nettoyer son quai avant demain.

L'Oriental s'était redressé, une bourse pleine à la main, il la glissa dans sa sacoche sans l'ouvrir et se tourna vers Giovanni.

— Permettez-moi à mon tour de me présenter : Hugues de Tarse. Pouvons-nous vous offrir quelque chose à boire ?

— Volontiers, messires.

Ils repartirent d'un bon pas vers l'auberge, Giovanni parlant avec animation avec Tancrède, Hugues marchant en silence à leurs côtés.

EN LETTRES DE SANG

7

Une heure bientôt que les trois hommes étaient attablés à l'auberge *Henri II*, à boire et à discuter. Comme à son habitude, Hugues gardait une certaine réserve, mais Tancrède était sous le charme de Giovanni qui mimait avec force gestes l'attaque des malandrins sur le port.

— Vous êtes de vaillants compagnons, et j'aurais aimé mieux vous connaître, mais nous devons lever l'ancre demain, acheva-t-il enfin.

— Nous aussi, remarqua Tancrède.

Le visage du marchand marqua de l'étonnement.

— Vraiment ?

Puis, il s'exclama :

— Oh, mais je sais, vous serez sur le serpent ! Ils embarquent deux passagers. C'est donc vous ! Mais alors, nous allons faire route ensemble vers la Méditerranée !

— Le serpent ?

— Oui, c'est ainsi que nous nommons les navires de guerre comme celui qui va vous accueillir. Mais comment avez-vous pu prendre place à bord ? Il est affrété par le roi d'Angleterre lui-même, je crois ?

Tancrède allait répondre, mais Hugues le devança.

— Peu importe tout cela, déclara-t-il. Mais vous dites que vous « devez lever l'ancre », seriez-vous plus qu'un simple passager ?

— Ce sont les Luna qui ont affrété le knörr, répondit fièrement Giovanni. Ma famille.

— Luna… Vous êtes lombard, n'est-ce pas ?

— Je suis un Lombardi de Sicile et non un Longobardi d'Italie du Nord ! protesta le jeune homme. Ma famille vit à Syracuse depuis bientôt deux siècles. Nous sommes marchands et armateurs. Avec mes frères, nous nous partageons le monde ! À moi, le commerce avec les pays du Nord, mes autres frères s'occupent l'un de l'Afrique, l'autre de l'Orient.

— Il n'y a pas tant de bateaux qui osent se risquer jusqu'ici. La plupart des marchands préfèrent encore les voies de terre ou les fleuves.

— Mais c'est nous qui avons raison ! rétorqua le Sicilien en martelant ces mots d'un vigoureux coup de poing sur la table. Et bientôt, croyez-moi, les bateaux seront de plus en plus nombreux, et cela dans les deux sens.

— Quel type de cargaison embarquez-vous ? demanda Hugues.

— J'ai amené de l'alun d'Italie, du safran, de la cochenille et du pourpre d'Orient. Je repars avec quelques fourrures, de l'ambre gris et de l'ambre jaune de la Baltique. Tout de même, vous seriez mieux à bord de mon bateau. J'ai des passagers, moi aussi, et ils auront de quoi s'abriter du vent et des embruns, je ne suis pas sûr que vous en aurez autant sur l'esnèque.

— Nous en avons vu d'autres, fit Hugues avec un sourire. Mais quels passagers osent se lancer sur un aussi long et périlleux voyage ?

— Un pèlerin qui va à Compostelle, un poète, un moine, un chevalier… Et une femme qui doit trouver époux chez nous là-bas, en Sicile.

— Une femme…

— Oui, je crois d'ailleurs qu'elle loge ici, il n'y a pas tant d'auberges à Barfleur, et celle-là reste la meilleure. Mais je ne les ai pas encore vus, c'est mon capitaine qui s'occupe de tout cela.

— Je crois que j'ai rencontré votre passagère, fit soudain Hugues en se rappelant la jolie brune aux yeux bleus qui lui avait ouvert sa porte.

— Vraiment ?

Le jeune Lombard s'était penché vers l'Oriental.

— Et que m'en dites-vous ?

— Rien.

Voyant la mine étonnée de son interlocuteur, Hugues ajouta :

— J'évite de parler des femmes. « L'arbre du silence, disent les Arabes, porte les fruits de la paix. »

— Vous êtes un homme avisé, messire de Tarse. Seriez-vous natif de Sicile, vous aussi ?

— Je suis gréco-syrien. Et né à Antioche. Et si vous nous parliez de Syracuse ?

— Syracuse…

Hugues et Tancrède sentirent l'émotion vibrer dans la voix du Sicilien à l'énoncé du nom légendaire.

— J'y suis né. C'est une ville fascinante. Je pourrais vous en causer des heures, mais si vous en êtes d'accord, je ferai mieux…

Il parut s'abîmer dans une profonde réflexion, puis jeta :

— Prenons le pari que je vous la ferai visiter un jour… Je sais que le serpent doit nous escorter jusque là-bas, mais vous-mêmes, devez-vous débarquer avant ?

— Non. Nous allons à Syracuse tout comme vous.

Giovanni se mit debout et, levant son pichet, déclama :

— Alors, conjurons les dangers du voyage qui nous attend et acceptez de venir dîner chez moi à Syracuse… Disons dans deux mois d'ici !

La bonne humeur du Sicilien était contagieuse. Hugues ne put s'empêcher de sourire à cette proposition, et les deux compagnons cognèrent leurs pichets contre celui du marchand.

— Nous acceptons.

— Bien, maintenant que vous avez accepté, fit-il en baisant la médaille qu'il portait autour du cou avec un chapelet d'amulettes, je suis tranquille, nous arriverons en Sicile.

Au moment où il prononçait ces mots, le prévôt entra, suivi de son chien, et s'avança sans hésiter vers leur tablée.

— Salut à vous, messires.

Immobile derrière son maître, le grand chien les observait de ses yeux vairons. Tancrède se fit la réflexion qu'il n'avait jamais vu bête aussi effrayante que celle-là.

— Messire prévôt, vous partagerez bien un pichet avec nous ? proposa le Lombard.

Le visage d'Eudes était sévère. On sentait qu'il n'était pas là pour son plaisir et qu'il aurait préféré de beaucoup regagner son lit. La journée, comme les précédentes, avait été rude, entrecoupée de bagarres entre marins, de querelles entre marchands, de plaintes de notables… Comme souvent, avant le départ des navires, les passions s'exacerbaient.

— En d'autres occasions, maître Della Luna, ce serait avec plaisir. Mais je cherche après des hommes qui se sont battus sur le port.

Le Lombard n'avait pas bronché. Eudes détailla ses deux compagnons et leurs vêtements souillés. L'un était de type oriental et l'autre aussi blond et grand qu'un Norvégien avec une peau sombre de Sarrasin et le regard vert. Il les avait croisés à plusieurs reprises, sans vraiment avoir eu le temps de se renseigner sur eux.

— J'ai trouvé un vrai charnier près des entrepôts, reprit-il, la main sur la garde de son épée. D'après les marins survivants, ceux qui ont fait ça n'étaient que deux et ils portaient des vêtements orientaux.

— Vous avez trouvé ceux que vous cherchiez, messire prévôt, déclara Hugues en se levant.

— Je m'en doutais, messire, en voyant l'état de vos habits. À qui ai-je l'honneur ?

— Mon nom est Hugues de Tarse, et mon compagnon est sire Tancrède. Quant au charnier, je peux vous expliquer.

À ces noms, le regard fatigué s'éclaira.

— Hugues de Tarse ! Un messager envoyé par messire d'Aubigny m'avait prévenu de votre venue, mais il s'est passé tant de choses ici que je n'ai pas eu le temps de vous faire chercher. Votre visite à Barfleur est un honneur, messire.

— Merci, prévôt.

— En tout cas, vu les corps qu'on a rapportés à la prévôté, vos assaillants auraient mieux fait de s'en prendre à d'autres que vous. Je vous écoute.

— Excusez-moi, sire prévôt, le coupa Giovanni qui s'était levé. Mais si vous n'avez pas besoin de moi… Je dois lever l'ancre en même temps que l'esnèque et le plus précieux de mon chargement n'est pas encore en cale.

— Je vous en prie, maître Della Luna. Non, je n'ai pas besoin de vous. Mais passez me voir demain matin à la prévôté, encore quelques formalités à remplir. Vous savez à quel point l'Échiquier de Caen aime papiers et cachets de cire…

— … et argent sonnant et trébuchant. Entendu, bien que je ne voie pas…

— Nous en parlerons demain si vous le voulez bien, coupa Eudes, qui n'aimait pas mélanger affaires de sang et problèmes de Trésor.

— Comme vous voulez. À demain, donc.

Puis, se tournant vers ses nouveaux amis, Giovanni s'inclina courtoisement.

— Permettez-moi de vous saluer. Sire de Tarse. Sire Tancrède.

Tancrède saisit la main que le jeune homme lui tendait et la serra avec vigueur.

— Je n'oublierai jamais ce qui s'est passé cette nuit, Giovanni.

Un sourire erra sur les lèvres fines du Sicilien qui s'inclina à nouveau.

— Je sais que j'ai sauvé un homme d'honneur.

Une fois le jeune homme sorti, Eudes se tourna vers Hugues.

— Il était avec vous sur les quais ?

— Non, il est arrivé à la fin, mais son habileté au lancer du couteau a sauvé la vie de Tancrède.

L'Oriental se tourna vers son compagnon :

— Expliquez au prévôt comment cela s'est passé. Après tout, c'est vous qui vous êtes lancé au secours de cette femme.

— Une femme ? s'étonna Eudes.

Une grimace déforma la bouche de Tancrède.

— Si c'était à refaire, je le referais, mais j'avoue m'être fait jouer comme un blanc-bec.

Et il raconta en détail l'attaque dont ils avaient été les victimes. Eudes écoutait sans mot dire, le grand chien couché à ses pieds. Enfin, l'Oriental jeta la bourse sur la table.

— Voilà ce que j'ai trouvé sur celui qui semblait être leur chef.

Le prévôt défit les liens de cuir et fit glisser l'argent sur la table.

— Des deniers de Provins.

— Oui, ce n'est pas là une monnaie de marin, siffla le prévôt en évaluant la somme qui se trouvait devant ses yeux. Ni une paye de marin. À quoi pensez-vous, messire ?

— C'est vous l'homme de justice, pas moi, protesta Hugues. Est-ce que vous avez reconnu quelques-uns de nos agresseurs ? Sont-ils d'ici ?

— Non, mais cela ne veut plus rien dire. Il y a tant de passage à Barfleur depuis que les rois ont décidé d'en faire leur port d'embarquement pour l'Angleterre ! L'*esnecca regis* est toujours prête à appareiller avec le roi et le Trésor. Le port reçoit maintenant des navires venus de Norvège, des Orcades, d'Irlande aussi, et le chantier s'étend chaque jour davantage. Ouvriers, marins, marchands, je croise tout le temps de nouvelles têtes.

Le prévôt faisait tourner un denier entre ses doigts, une expression matoise se dessina sur ses traits quand il demanda :

— Vous pensez donc, messire, qu'on a payé ces hommes pour vous tuer ?

— Je n'ai rien dit de tel... Mais c'est une possibilité. En tout cas, je vous avoue que je préférerais qu'on fasse le silence sur tout ceci.

Eudes remit l'argent dans la bourse et la repoussa vers Hugues.

— Mieux vaut que vous la repreniez, fit-il. Disons que je ne l'ai jamais vue et que tout cela n'était qu'une querelle entre marins. Je ferai donc un rapport en ce sens au comte de Chester et au justicier de Normandie.

— Merci, sire prévôt. Je ne tiens guère à ce que nos noms figurent dans ces sortes d'écrits. Le château de Barfleur appartient au comte de Chester, Ranulf II ?

— Oui. Henri II le lui a donné, et même si le comte est plus souvent en Angleterre, je suis tenu de l'aviser en même temps que le justicier dès qu'il y a mort d'hommes à Barfleur.

— Je comprends.

Quelqu'un toussa derrière eux. Ils se retournèrent. Il n'y avait plus personne dans la salle. L'aubergiste avait jeté des cendres sur les braises. Les broches étaient lavées et rangées. Les tables propres et les bancs empilés les uns sur les autres...

— Je voudrais bien fermer, messires, fit l'homme.

— Bien sûr, bien sûr. Tara, on rentre !

Le chien, qui semblait dormir, la tête sur les pattes, se redressa aussitôt.

— Sans doute vous verrai-je demain, ajouta le prévôt. J'ai été heureux de vous rencontrer.

— Nous aussi, répondirent les deux amis.

Le tavernier posa les barres en travers des portes et souffla les dernières lampes à huile.

Une fois dans leur chambre, Hugues s'assit sur sa paillasse et sortit une fiole et des bandes de linge roulées de sa sacoche.

— Montrez-moi vos blessures, fit-il. J'ai là de quoi vous soigner.

— Tout va bien. Il n'y a rien là que le sang de nos agresseurs, répondit Tancrède qui avait ôté sa chemise et se lavait à grande eau dans la cuvette apportée par le tavernier. Vous, par contre, vous avez été blessé, fit-il en désignant le cuir entaillé de l'une des bottes.

Hugues jura. La fatigue et la bière lui avaient fait oublier sa blessure. Il s'examina. L'entaille n'était pas profonde, quant à sa botte, un cordonnier la réparerait sans mal. Malgré sa fatigue, il se soigna avec des gestes précis avant d'achever de se déshabiller.

Tancrède marchait de long en large.

— Eh bien, il est temps de vous coucher maintenant, déclara Hugues qui s'était glissé dans son lit. Qu'avez-vous à la fin ?

— Comment ça, qu'est-ce que j'ai ? Vous pensez qu'on voulait nous tuer, n'est-ce pas ?

— Comme l'a dit Eudes, qui me paraît un homme de bon sens, les marins ne sont pas payés en deniers de Provins ni avec d'aussi fortes sommes.

— Et cela ne vous inquiète pas plus que cela ! Je voudrais comprendre. Savoir qui et pourquoi. Est-ce après vous que l'on en a ? Ou après nous deux ?

— La discussion serait trop longue et je ne suis encore sûr de rien. Allons, dormez ! La journée de demain sera rude.

Tancrède voulut protester mais son maître s'était tourné vers le mur, s'enroulant dans sa courtepointe. Quelques instants plus tard, il dormait d'un sommeil paisible.

8

Comme chaque matin avant l'aube, la cloche de Saint-Nicolas et celle du couvent des Sachets s'étaient répondu, sonnant l'office de laudes. Puis les premiers rayons du soleil avaient éclairé la rade et les quais.

Sur la hauteur, la silhouette de granit du château de Barfleur dominait la grande grève. Dans les habitations de bois en contrebas s'ouvraient déjà portes et fenêtres. Les pêcheurs descendaient vers le port, les ouvriers au chantier.

La mer était calme et lisse, même si, à l'horizon, s'amoncelaient des nuages. Giovanni allait et venait d'un pas nerveux sur le quai, non loin de la chaussée menant à son bateau. Il était d'humeur maussade. Comme avant chaque départ, il avait mal dormi. Les marchandises à vérifier, à compter et recompter, les péages, l'équipage, les droits de port, les taxes de toutes sortes… Cette fois, il ne s'en était pas trop mal sorti, il avait beau se pavaner devant ses nouveaux amis, le monde ne lui appartenait pas encore et son aîné, Renato, ne manquait pas une occasion de le lui rappeler.

En fait, il n'avait aucun goût pour le commerce. Il aurait préféré rester à Syracuse. Mais son père ne lui avait pas laissé le choix et il devait faire ses preuves comme ses aînés.

À chaque fois qu'il pensait aux disputes avec le robuste patriarche ou avec Renato, un goût de fiel lui emplissait la bouche. Finalement, il était mieux loin du palais familial ! Ici, au moins, il était son propre maître !

Enfin, sa marchandise était dans la cale. Tout était en ordre et il n'attendait plus que le char à bancs amenant ses derniers passagers et leurs bagages. Ne voyant aucun signe de leur venue, son regard se braqua à nouveau sur le knörr et sur l'esnèque. Les deux bateaux avaient la ligne longue et basse et l'étrave recourbée des anciens navires vikings. Le knörr était juste plus ventru avec des cales profondes et des châteaux de bois permettant d'abriter ses passagers.

Quelqu'un toussota dans son dos et Giovanni se retourna. Devant lui se tenait un solide garçon d'une dizaine d'années, pieds nus, la tignasse rousse en bataille, les habits rapiécés.

— M'avez fait demander, mon maître ?

— Oui, fit Giovanni. Le capitaine m'a dit que tu étais venu proposer tes services comme mousse. Tu as déjà navigué ?

— Non, mon maître.

— D'où es-tu ?

Le gamin leva la main pour indiquer les terres derrière le château de Barfleur.

— De la ferme des Roches, là au-dessus.

— Et tu veux embarquer ?

— On est trop là-haut. Et une petite sœur est née.

— Alors, il faut que tu t'en ailles, conclut le Lombard en hochant la tête. Si tu travailles bien, tu mangeras bien, sinon…

La mine chiffonnée s'éclaira d'une grimace qui se voulait un sourire. Manger bien, il n'avait jamais su ce que cela voulait dire.

— J'suis point feignant, mon maître.

— Nous verrons ça… Quel est ton nom ?

— Bertil.

— Eh bien, Bertil, retourne à bord, je demanderai au capitaine qu'il te fasse donner des habits en meilleur état. Allez !

Le gamin ne se le fit pas dire deux fois et partit en courant vers le knörr. Le capitaine qui le croisa regarda son maître, la mine interrogative.

— Ça ira pour celui-là, fit le Lombard.

Ces deux-là se pratiquaient depuis un peu plus d'un an. Le capitaine Corato, petit homme nerveux, nature inquiète, avait toujours travaillé pour la famille Della Luna, voyageant tout d'abord en Méditerranée avec Renato, le fils aîné, avant de se voir confier le cadet. Ils étaient aussi différents l'un de l'autre que chien et chat. L'un était insouciant, l'autre se souciait de tout. Pourtant Giovanni respectait le marin et, sans vouloir se l'avouer, craignait ses critiques. Quant à Corato, il vouait une admiration sans bornes au patriarche Della Luna et à Renato à qui il envoyait à chaque escale des rapports détaillés. Après les démêlés administratifs ou les avaries, les agissements du cadet – relations avec les puterelles, duels, argent gaspillé – constituaient le principal objet de ses missives à ses maîtres.

— Il nous en reste combien à bord, des mousses ?

Le capitaine maugréa :

— Y reste P'tit Jean et le Bigorneau. Ça sera pas de trop pour la cuisine et le lessivage du pont.

— Et le cuistot ?

— Toujours le même.

Le visage de Giovanni s'éclaira :

— C'est bien. Un homme qui sait vous faire prendre des sardines ou des harengs pour des *pastieri* est précieux ! Mais tu as la mine soucieuse, que se passe-t-il ?

— Il nous manque un rameur.

— Encore !

— On l'a vu partir hier avec une gueuse. Et ce matin, il ne répond pas à l'appel.

— Eh bien, nous nous en passerons !

— Non, maître, protesta l'autre. J'ai besoin de tous mes gars. Nous sommes lourdement chargés, et je ne peux me permettre d'avoir un banc incomplet. À moins que vous ne vouliez faire travailler vos passagers.

Giovanni haussa les épaules.

— Que proposes-tu ?

— Un gars de Barfleur m'a parlé d'un gaillard avec qui il a fait les derniers mois d'hiver. Bon rameur, à ce qu'il dit, avec le sens de la mer, et qui connaît cette côte jusqu'au Mont-Saint-Michel.

— Où est-il ?

— Il vous attend sur le bateau.

— Prends-le ! S'il ne nous convient pas, on le jettera à l'eau. Va, je te fais confiance.

Au lieu de se féliciter de cette remarque flatteuse, le capitaine pinça davantage les lèvres.

— Je voulais aussi vous dire, ajouta-t-il, qu'il manque toujours la dame et son serviteur.

— Oui, oui… Qu'est-ce qu'ils font ?

Au moment où il disait ces mots, un char à bancs déboucha sur le quai.

— Enfin, les voilà ! s'exclama Giovanni. Et où en est Harald avec l'esnèque ?

— Il est prêt, lui aussi.

— Parfait. Les droits du port ?

— Tout est en règle, maître. Je m'en suis occupé.

Pour un peu, Corato aurait haussé les épaules. Comme s'il ne savait pas où étaient ses devoirs !

— La cargaison ?

— Bien arrimée dans la cale, et serrée dans des toiles goudronnées.

— Les rats ?

— A priori aucun, et puis nous avons notre mascotte.

— Ah oui, je l'oubliais, celui-là, marmonna Giovanni qui ne se tenait plus d'impatience. Parfait, nous allons pouvoir partir, sauf qu'il faut que je passe encore à la prévôté.

— Un problème ? s'inquiéta le capitaine.

Mais déjà Giovanni s'avançait, le sourire aux lèvres, à la rencontre d'Eleonor qui avait lestement sauté à terre, suivie de Gautier. Mécontent de n'avoir pas eu de réponse et à nouveau inquiet, le capitaine Corato retourna vers le knörr.

— Il ne manquait plus que vous, damoiselle de Fierville, fit-il en la saluant. Je m'inquiétais. Mon nom est Giovanni Della Luna. Je suis le marchand qui va assurer votre passage vers la Sicile.

Le serviteur avait rejoint sa maîtresse. L'air emprunté, il regardait le Sicilien en se dandinant d'un pied sur l'autre. La peur de la mer l'avait empêché de trouver le sommeil et même la bière dont il avait abusé n'avait pu l'y aider.

— Le bonjour, maître Della Luna, répondit Eleonor.

— Je ne savais pas que j'allais embarquer une si jolie femme à mon bord, ajouta-t-il. J'en suis honoré.

— Vous n'êtes pas sans savoir que je vais rejoindre mon futur époux en Sicile, maître Della Luna ? répliqua Eleonor en fronçant les sourcils. Le sire de Marsico, un proche du roi Guillaume Ier.

— C'est vrai, damoiselle, et je crois avoir déjà rencontré votre futur époux à la cour de Palerme. Mais ne prenez pas en mal mes compliments, ils ne sont que l'expression de mon admiration... et de mon profond respect. Nous autres, gens du Sud, aimons les femmes et le leur faisons savoir.

Peu habituée à ce genre de joute, Eleonor acquiesça d'un bref signe de tête.

— Je dois régler encore un ou deux détails avec le prévôt de la ville, reprit Giovanni. Pendant ce temps, mes hommes vont monter vos affaires à bord. Et puis, si vous voulez bien m'attendre ici, je vous accompagnerai moi-même et vous ferai visiter vos quartiers.

Et avant qu'elle ait pu ajouter quoi que ce soit, le jeune homme partit d'un bon pas vers la ville.

9

Les marins chargèrent les coffres sur leur dos et prirent la direction du port en eau profonde. Eleonor et Gautier se retrouvèrent seuls. Un petit vent froid se levait, venu du nord.

La jeune femme resserra frileusement son manteau autour d'elle et s'avança au bord du quai, contemplant l'eau scintillante dans laquelle nageaient des centaines de poissons argentés.

Pour la première fois depuis qu'elle avait quitté le château familial, elle réalisait qu'elle allait laisser derrière elle son pays et sa famille et, sans doute, ne jamais revenir. Des images affluaient : sa mère, la lumière dans les douves du château, sa vieille nourrice, son père, sa jument… Sa gorge se noua et, essayant de cacher son trouble à son vieux serviteur, elle fixa l'horizon, les larmes affleurant à ses paupières.

Le temps passa, juste interrompu par les cris des mouettes qui se disputaient les restes d'un requin dont les vagues avaient rejeté la grande carcasse sur le rivage.

Trois marins s'étaient approchés. L'un d'eux, un gaillard bâti tout en force, avait repéré la silhouette mince de la jeune femme immobile près du quai. Il cligna de l'œil vers ses compagnons et, une fois près de Gautier, le bouscula si fort que le vieux tomba.

— Oh, pardon, mon bon ! s'exclama le marin en faisant semblant de l'aider à se relever et en le repoussant par terre une seconde fois, sous les éclats de rire moqueurs de ses camarades.

En entendant ce brouhaha, Eleonor s'était retournée. Elle se précipita pour aider le vieil homme à se relever.

— Gautier, ça va ?

— Oui.

— Qu'est-ce qui s'est passé ?

Mais le vieux n'eut pas le temps de répondre. Le gars s'était approché, les autres derrière lui.

— L'est pas bien solide sur ses jambes, on dirait ! s'écria le gars. L'est tombé tout seul, damoiselle. Z'êtes sa fille ?

— Non, je ne suis pas sa fille ! répondit Eleonor. Mais laissez-nous tranquilles !

Le marin s'esclaffa, bientôt imité par ses compagnons, des hommes aux figures patibulaires, aux membres courts, aux muscles solides, plus habitués à la fréquentation des étuves et des puterelles qu'à celle des pucelles.

Eleonor regarda autour d'elle, cherchant en vain de l'aide. Ses joues s'empourprèrent d'une brusque colère.

— Ça suffit maintenant ! gronda-t-elle en se plantant devant celui qui avait l'air d'être le chef.

— La garce a du caractère, remarqua-t-il. Mais tu as mal choisi ton protecteur, ma belle. Mon nom à moi, c'est le Balafré, rapport à ça...

L'homme écarta un pan de sa tunique, montrant une vilaine et profonde cicatrice allant de son cou jusqu'à son nombril.

— Ça fait mon succès auprès des dames. J'te disais donc que c'est pas avec un vieux qu'y faut aller...

D'une bourrade, le Balafré envoya Gautier rouler aux pieds de ses amis.

— ... quand on est jeune et jolie comme toi. Tu vois, y tient pas debout. Tombe tout le temps, le pauvre bougre !

Eleonor avait sorti son poignard qu'elle brandit devant elle.

— Vous devriez avoir honte de vous en prendre à quelqu'un comme lui. Gautier, ordonna-t-elle, relève-toi et viens derrière moi !

— La damoiselle a un dard comme les abeilles ! fit le marin avec un rire gras. Vous avez vu, vous autres ? C'est avec ça qu'elle veut me tenir en respect, moi le Balafré !

Tous s'esclaffèrent puis se turent d'un coup. Un sourd grondement avait répondu à la tirade du marin. Comme par enchantement, la silhouette grise du chien du prévôt était apparue au milieu d'eux.

Ses yeux vairons luisants comme des flammes, la bête se plaça devant la jeune femme.

— Le loup ! Les gars, c'est le loup ! s'écrièrent les marins.

La réputation de l'animal était telle que les malandrins reculèrent aussitôt et que l'un d'entre eux tourna même les talons. Le poil hérissé, les babines retroussées, le chien était prêt à bondir.

— C'est pas une bête qui va me faire reculer ! grommela le Balafré en se dandinant d'un pied sur l'autre.

— Laisse tomber ! le raisonna son compère. C'est une bête d'enfer ! Il va te déchiqueter comme une charogne. Je l'ai déjà vu faire.

Mais l'autre ne l'écoutait plus. Il avait tendu la main pour s'emparer du couteau d'Eleonor et d'un bond le chien fut sur lui.

Ils roulèrent à terre. Le marin hurlait de douleur à chaque morsure. La bête grognait, crocs dehors. Enfin, les mains et le torse en sang, le Balafré resta immobile, haletant, le corps du chien couché sur le sien. Les canines emprisonnaient sa gorge. L'homme avait compris qu'au moindre mouvement il serait égorgé.

La trompe du prévôt retentit à plusieurs reprises.

— Lâche, le chien, lâche ! ordonna en vain Eleonor.

Le prévôt Eudes apparut et poussa un long sifflement. La bête se redressa aussitôt et se dirigea vers la jeune fille. Eleonor faillit reculer tant sa taille – elle lui arrivait presque à la poitrine – et son aspect étaient impressionnants. Elle tendit la main et, les doigts tremblants, caressa le museau souillé de sang et de bave.

— Merci, fit-elle.

— Il s'appelle Tara, fit le prévôt qui avait saisi le marin par le col.

La patrouille, menée par un sergent, débouchait au pas de course d'une ruelle voisine. Les habits en loques, le blessé gémissait, de sanglantes estafilades couvraient son corps et son visage.

— Te plains pas, il aurait pu te tuer, remarqua Eudes. Embarquez-moi celui-là, vous autres, ordonna-t-il au sergent. Le cachot lui calmera les sangs.

— Bien, sire prévôt.

— J'ai rien fait ! essaya de protester le marin alors que le sergent l'empoignait avec rudesse.

— Eh bien, c'est pour les fois où t'as fait, l'ami, rétorqua Eudes. Emmenez-le !

Une fois ses hommes partis, le prévôt se tourna à nouveau vers la jeune femme aux pieds de laquelle s'était couché le chien.

— Tara. Le nom d'une ville légendaire, là-bas, en Irlande. C'est ce que m'ont dit les Irlandais. Dans leur pays, il tuait les loups et il ne s'est jamais laissé caresser par quiconque… Sauf par vous. Ils étaient combien ?

— Trois.

— Les deux autres doivent toujours courir. Vous allez bien ?

La jeune fille était encore très pâle.

— Ça va, sire prévôt. Sans lui, je ne sais pas ce qui serait arrivé.

Le regard pensif du prévôt alla de son chien à la jeune femme. Depuis qu'il faisait équipe avec le grand animal, jamais Tara n'avait attaqué de lui-même ni n'avait témoigné de l'intérêt pour un autre que lui. Et encore, il lui avait fallu une longue période d'apprivoisement et de nourritures choisies.

— C'est vous qui embarquez sur le knörr, n'est-ce pas ?

— Oui.

— Vous avez déjà eu des chiens ?

— Oh oui, j'en avais au manoir, un surtout auquel je tenais, que m'avait donné mon père. Il est mort en me défendant contre un sanglier. Mais je n'avais jamais vu de bête comme la vôtre.

— C'est une race à part. Pleine de vaillance et douée d'une intelligence étonnante.

Gautier les avait rejoints, la mine déconfite, les habits souillés de poussière. Pendant la lutte entre le Balafré et Tara, il s'était enfui, se glissant sous la coque d'une barque retournée.

— Votre serviteur ?

— Oui.

Le prévôt apostropha le vieux :

— Il m'avait bien semblé voir quelqu'un se cacher là-dessous, fit-il en montrant le canot, mais je ne pensais pas que c'était le serviteur d'une dame. Plutôt quelque maraud !

— C'est que je me sentais pas bien, essaya de se justifier Gautier en rougissant jusqu'aux oreilles.

— Ne soyez pas sévère, messire, Gautier est pire qu'un lapin quand il voit les chasseurs, mais c'est un bon et fidèle serviteur et j'en réponds.

— Si ça vous convient, damoiselle, je n'ai pas à y redire. Pouvons-nous parler un moment, seul à seul ?

Bien que surprise par la demande, Eleonor acquiesça d'un signe de tête.

— Bien sûr. Gautier, attends-nous ici ! Où voulez-vous que nous parlions ?

— Marchons de ce côté des quais.

Et ils partirent, le grand chien trottinant sur leurs talons, laissant Gautier désemparé et honteux derrière eux.

— Au fait, messire prévôt, n'avez-vous pas rencontré le sire Della Luna ? Il allait à la prévôté afin de vous rencontrer. C'est lui que nous attendions sur ce quai.

— Non. J'étais en patrouille du côté du couvent des Sachets.

— Je vous écoute, sire prévôt, bien que je ne voie pas quelle demande vous pouvez me faire.

— Ce n'est qu'une idée qui m'a traversé l'esprit en vous voyant avec Tara. Depuis hier, je pensais… Mais il faut d'abord, pour que vous me compreniez, que je vous raconte ce qui se passe ici, damoiselle.

— À Barfleur ?

— Oui.

— Allez-y.

Eudes jeta un coup d'œil vers le visage sérieux de la jeune fille, et se lança :

— Depuis quelques jours, je cours en vain après un assassin que les gens d'ici surnomment le loup de Barfleur.

Le prévôt hésita.

— Je ne suis plus une fillette, continuez, l'encouragea-t-elle.

— Cette bête-là ne tue que des enfants, garçons ou filles. Pour l'instant, il ne s'en est pris qu'à des pauvres que personne ne réclame. Malgré cela, les gens ont peur

58

et il leur faut un coupable. Ils l'ont trouvé. C'est Tara. Il est trop grand, trop différent des bêtes qu'ils connaissent.

— Votre chien !

— Oui. Hier au soir, des notables sont une nouvelle fois venus me sommer de m'en débarrasser. Ils finiront par me le tuer à coups de pierre ou par me l'empoisonner. J'ai donc passé la nuit à chercher un moyen de le protéger ou de l'éloigner de la ville.

— Que puis-je y faire ? Je ne vois pas.

— Ma demande va vous paraître étrange. Mais j'ai compris quand il vous a défendue que j'avais trouvé la personne qu'il lui fallait. Tara ne fait que ce qui lui plaît. Il vous a choisie. L'année dernière, j'ai dû le confier à un ami, le justicier de Normandie m'avait convoqué à Caen et je ne pouvais l'emmener. Tara s'est enfui et a retrouvé ma trace là-bas. Prenez-le avec vous, damoiselle. Et emmenez-le loin d'ici.

Ils s'étaient arrêtés. La lumière du soleil allumait des reflets roux dans la chevelure d'Eleonor. Elle ne s'attendait pas à cela et resta muette. Le prévôt insista. Le chien, comme s'il avait compris, regarda son maître puis la jeune fille.

— Comment voulez-vous que je fasse ? Je pars en bateau dans quelques instants. Si je rentrais au manoir, cela serait facile ! Mais sur un navire ! Et je ne suis même pas sûre que l'armateur l'acceptera à son bord…

— Pour ce qui est du Lombard, j'en fais mon affaire. Et puis, n'oubliez pas que Tara est arrivé à Barfleur sur un bateau irlandais. La mer ne l'effraie pas et il sait nager, ce qui n'est pas le cas de la plupart des hommes. Songez comme il vous a défendue. Vous serez seule femme à bord, et ce n'est pas le vieux Gautier qui se battra pour vous.

La bête avait glissé son museau humide dans le creux de la main d'Eleonor.

— Je sais tout cela, mais je n'avais pas imaginé…

— Regardez, il vous est déjà attaché.

La jeune fille caressa l'encolure chaude de l'animal.

— Et vous n'osez me le dire, fit-elle, j'ai une dette d'honneur envers lui. Il m'a sauvée. Je ne peux le laisser à la merci de la haine des villageois. Vous avez gagné, j'accepte, sire prévôt.

10

Giovanni était revenu sur le port et, après un bref échange avec le prévôt et un sceau apposé sur les documents destinés à l'Échiquier de Caen, il se tourna vers Eleonor.

— Vous êtes prête à embarquer, damoiselle ?

— Oui. Et mon chien aussi.

L'animal était couché à ses pieds.

— Votre…

Le Lombard se tourna vers le prévôt :

— Pourquoi dit-elle son chien ?

— Elle part avec lui. Je ne peux garder Tara ici, et elle a accepté de s'en occuper.

— Ah, non ! J'ai déjà assez de soucis avec mes passagers. Je ne vais pas en plus prendre un chien, surtout celui-là !

— Oh, mais si, vous pouvez… Venez, faisons quelques pas, voulez-vous ?

La voix de l'officier était chargée de sous-entendus. Giovanni le suivit à l'écart. Eleonor s'était détournée.

— Comment ça, je peux ? fit le Sicilien. Que voulez-vous dire ?

— Je ne m'occupe pas seulement des bagarres entre matelots…

— Je le sais bien.

— Je veille aussi à l'embarquement des marchandises, maître Della Luna, et j'ai constaté qu'il y avait une grande différence entre le nombre de ballots de fourrure que vous avez déclaré et celui recensé par mes hommes.

— Mais non ! Je…

— Oh, je ne me permettrai pas d'affirmer que vous vous êtes trompé ! Sans doute, un de vos gens qui vous a transmis de mauvais chiffres. Voulez-vous que nous allions vérifier tout cela, vous et moi ? Cela ne sera l'affaire que de quelques jours.

Le Sicilien se troubla.

— Bien sûr, cela vous retarderait, reprit Eudes. L'esnèque devrait partir sans vous, cela occasionnerait nombre de tracas avec l'Échiquier et le capitaine Corato, si pointilleux pour tout ce qui est décompte des marchandises…

— J'accepte, j'accepte, prévôt.

Ils revinrent vers Eleonor.

— Le prévôt est un homme très persuasif. Ce chien peut monter à bord avec vous, damoiselle, déclara le Sicilien.

— Merci, maître Della Luna.

La jeune fille s'était tournée vers le prévôt auquel elle tendit la main.

— J'en prendrai soin, je vous en fais promesse.

— Je le sais. À vous revoir, damoiselle.

Eudes s'inclina, puis, s'adressant à l'armateur, déclara :

— Si vous revenez à Barfleur, il serait bon que nous n'ayons pas d'autres erreurs de ce genre, comprenez que je n'ai pas toujours un chien à faire passer vers la Sicile.

— C'est pour cela que vous vouliez me voir ce matin, n'est-ce pas ?

Le prévôt ne répondit pas, mais son regard parlait pour lui. L'armateur le salua avec raideur et s'éloigna.

En proie à une soudaine mélancolie, Eudes fixait la silhouette efflanquée du grand chien. Ils avaient tant partagé, tous les deux ! Il allait lui manquer. Une voix le fit sursauter.

— Prévôt ?

Il se retourna, et se trouva face à Hugues et à Tancrède, leurs sacoches à l'épaule. Cela lui rappela ce qu'il avait décidé cette nuit-là alors que le sommeil le fuyait.

— Ah, messires, bien le bonjour. Je suis heureux de vous revoir.

— Nous aussi, prévôt. Mais où est votre chien ?

— À bord du knörr avec la damoiselle de Fierville. Je le lui ai donné.

— Vraiment ? Mais pourquoi ?

— Les notables veulent que je m'en débarrasse et les gens d'ici sont sûrs que c'est lui le tueur d'enfants. Ils auraient fini par le massacrer.

— Je comprends.

— J'ai peu dormi cette nuit. Je pensais à vous et aux paroles de messire d'Aubigny à votre propos. J'ai décidé de vous confier quelque chose que je crois important. Vous avez donc entendu parler des morts d'enfants ?

— Oui.

— Le sire d'Aubigny m'a expliqué qu'en d'autres lieux, vous aviez aidé à délier bien des nœuds[1]. Il vous dit habile à résoudre des énigmes.

— Il est trop aimable.

— Non, je ne crois pas que ce soit un mot qui lui convienne, rétorqua Eudes. Je regrette que nous ne nous soyons pas rencontrés plus tôt, messire, peut-être auriez-vous trouvé le tueur. Quant à moi, je sais, je sens, que je ne mettrai pas la main sur lui. Il n'a cessé de m'échapper. Pourtant, cette nuit, une idée singulière m'est venue.

— Expliquez-vous.

Eudes relata la mort des enfants, l'atmosphère lourde du port et du chantier naval, l'avis du frère infirmier de l'hôtel-Dieu.

Puis il ajouta :

— Il y a une possibilité, très mince, mais elle existe quand même, que celui qui a tué soit un voyageur, marin, notable, guerrier, pèlerin…

L'homme s'arrêta, les fixant de son air matois.

1. Voir *Le Peuple du vent*, *op. cit.*

— Je vous vois venir, prévôt. Et il y a tout cela dans les bateaux qui vont lever l'ancre, n'est-ce pas ? ajouta l'Oriental. En clair, vous voulez que nous soyons vigilants ?

— Oui.

La voix du prévôt se fit plus décidée.

— Mais pas seulement. Il faut en finir, messire. Il a tué trois enfants ici et, à mon avis, ce n'était pas la première fois. S'il est parmi vous, il faudra le capturer ou le tuer. Un homme comme ça ne mérite pas de vivre.

— Mais comment le reconnaître ?

— Je suis sûr qu'il va recommencer.

— Nous n'avons guère d'enfants à bord... Sauf les mousses.

— Oui, mais vous avez de nombreuses escales.

— Vous avez une liste des passagers et des équipages ?

— Non, elle est à la prévôté. Pour l'instant, sur le knörr, il y a un jeune moine de l'abbaye de Savigny, un pèlerin, un poète, un chevalier et la damoiselle avec son serviteur. Pour ce qui est de l'équipage, le capitaine Corato m'a dit qu'il avait embauché un nouveau rameur et un mousse qui vient du hameau des Roches.

— Le criminel que vous cherchez peut tout aussi bien être dans le reste de l'équipage.

— C'est vrai, je me contente de vous faire connaître les nouveaux embarqués. Sur l'esnèque, il y a Magnus le Noir, ses hommes et vous deux.

— Magnus et ses guerriers font partie de la garde d'élite du roi Henri II, vous ne pensez pas...

— Je ne mets personne hors de cause.

— Alors pourquoi nous faire confiance, à nous ?

— D'Aubigny est la plus sûre des recommandations, messire. Et puis, vous êtes arrivés après le dernier meurtre.

— Vous avez donc envisagé un moment que nous soyons...

— Coupables, bien sûr, comme les autres. Nous n'avons plus beaucoup de temps, écoutez-moi.

Le prévôt semblait pressé maintenant de dire tout ce qu'il savait.

— Il faut que je vous donne le seul indice dont je dispose.

— Nous vous écoutons.

Eudes baissa la voix :

— Le meurtrier laisse sa marque sur le corps des enfants, il grave des lettres dans leur chair.

— Des lettres romaines ?

— Oui, les lettres V R S.

— V R S, répéta Tancrède. Qu'est-ce que cela peut bien vouloir dire ? Les initiales d'un patronyme ou d'un lieu ?

— Je ne sais pas.

— Quelque formule magique ou incantation ? réfléchit Hugues à voix haute.

— Comment sont-ils morts ? demanda Tancrède.

— Il les massacre au couteau, puis les achève d'un seul coup en plein cœur. Messires, comprenez-moi bien, je n'espère pas que la bête est à bord, mais si c'est le cas…

Hugues hocha la tête. Tancrède ouvrit la bouche pour poser une question et la referma. L'idée qu'il puisse y avoir un assassin d'enfants parmi eux paraissait inconcevable et pourtant…

Un sinistre pressentiment envahit le jeune homme. Il se tourna vers les vaisseaux amarrés au ponton, essayant de retrouver la joie qu'il avait ressentie la première fois qu'il les avait vus. Mais une ombre venait de se glisser entre eux et lui.

ANOUCHE

11

— Ho ! Hisse ! Ho ! Hisse ! encourageait le maître de la hache.

Tancrède et Hugues s'étaient placés à l'avant. Le jeune homme regardait, fasciné, les hommes qui dressaient le mât de l'esnèque. Le battement sourd du tambour de guerre rythmait les efforts des marins qui s'arcboutaient. Ils avaient placé le mât, un tronc de chêne rouvre d'une trentaine de mètres de haut, dans la calengue, une pièce de bois au centre du bateau, et le poussaient à bout de bras tandis que leurs compagnons tiraient sur un hauban à l'avant. L'opération était difficile et, malgré ses amarres, le navire tanguait dangereusement.

Tancrède eut l'impression que sa respiration se bloquait, mais le mât se dressa enfin et le charpentier frappa d'un seul coup de masse la cale en bois qui le bloquait dans la calengue.

Le tambour s'arrêta. Tous les hommes du bateau poussèrent un long cri de victoire.

Harald, l'homme du gouvernail, ordonna d'arrimer le cordage principal au guindeau, le treuil fixé à l'avant de l'esnèque. D'autres marins se précipitèrent pour attacher les haubans.

Un des hommes grimpa avec agilité jusqu'à une plate-forme de bois près de la girouette dorée au sommet du mât.

Tancrède s'écarta pour laisser passer Knut qui allait rejoindre Harald à l'arrière, près du gouvernail latéral.

— Êtes-vous prêt ? lui murmura Hugues à l'oreille.

— Je crois que j'étais prêt pour ce moment-là le jour de ma naissance, répliqua Tancrède dont l'excitation faisait trembler la voix.

Il avait tout oublié, les morts d'enfants, l'attaque de la veille ; il ne songeait plus qu'au départ.

Magnus le Noir et ses guerriers étaient debout non loin d'eux, impassibles. Sur un ordre jeté par Harald, les rameurs se précipitèrent vers leurs bancs.

Les battements du tambour reprirent, plus rapides.

À bord du knörr, les hommes avaient également levé le mât. Tancrède aperçut Giovanni entouré de ses passagers. Une silhouette féminine enveloppée d'un grand mantel à capuche se tenait près du marchand.

— Est-ce là la femme dont vous m'avez parlé ? demanda-t-il à son maître.

— Sans doute.

— Il faut bien du courage à une femme seule pour partir ainsi sur les mers à la recherche d'un époux qu'elle ne connaît même pas.

Hugues ne répondit pas. Les rameurs déverrouillaient les trous de nage obscurcis par des rondelles de bois, pour y glisser leurs avirons.

12

Eleonor comprit très vite que le knörr n'était pas fait pour accueillir des passagers. Bien qu'il fût plus grand et haut que l'esnèque, il était conçu avant tout pour le transport des marchandises. Des ballots de fourrures encombraient les cales, le pont était l'espace réservé des rameurs, et seul un abri à l'arrière était prévu pour les voyageurs, celui de l'avant étant le domaine du cuisinier.

La jeune femme, à qui son père avait parlé des galées des marchands pisans ou génois, ces lourds bateaux méditerranéens sur lesquels s'étageaient de vastes châteaux arrière, des entreponts et des écuries, se retrouva à la poupe du knörr dans une cabane sombre et basse de plafond où pendaient des branles de toile et où s'alignaient des cadres de bois servant de lits.

Une odeur de sueur et d'urine prenait à la gorge et seules la porte et une minuscule lucarne laissaient filtrer un peu d'air et de lumière. Elle suivit Giovanni au milieu des passagers et des matelots puis s'enfonça dans un étroit couloir.

Le Lombard ouvrit une porte et s'écarta :

— Allez-y !

Le vantail était si bas que la jeune femme dut se baisser pour entrer. Elle se retrouva dans un réduit à peine plus grand qu'un placard. Par une aération à claire-voie entrait un rayon de soleil qui tombait sur le plancher.

— C'est votre cabine, annonça fièrement Giovanni. Un branle, vous verrez, ces sacs de toile font de bons lits, des clous pour suspendre vos vêtements, il y a tout ce qu'il faut…

Il hésita et désigna un pot de terre maintenu contre la paroi par deux planchettes.

— Ceci sert d'urinal aux hommes, on le vide à la mer au matin… mais il arrive qu'il se renverse avant, d'où les odeurs que vous avez senties dans le dortoir. Vous pourrez l'utiliser par gros temps si vous êtes malade.

— Ah.

— Oui, la mer n'est pas toujours belle comme en ce moment. Elle est plus souvent déchaînée et dangereuse. C'est la première fois que vous naviguez, n'est-ce pas ?

— Oui.

— C'est bien ce que je pensais. Au fait, vous n'oserez pas me le demander, mais il n'y a pas de lieux d'aisances à bord. Pas au sens où vous l'entendez. Il faut aller à l'avant ou à l'arrière du navire et se jucher sur une planche percée que l'on cale par-dessus bord. Il faudra que j'arrange cela avec votre serviteur. Quand la mer est grosse, ce n'est guère facile déjà pour les gars, alors pour une femme...

Il regardait sa robe et ses fins souliers ornés de boucles d'argent.

— Excusez-moi, damoiselle, tout cela est bien joli à terre, mais sur un bateau... Avez-vous des braies et d'autres chaussures ?

— Je... Oui. Il m'arrivait de chevaucher habillée en homme et j'ai pris ma tenue de cavalier.

— Le mieux serait que vous soyez habillée comme cela à bord. Vous vous sentirez plus à l'aise et l'équipage fera moins attention à vous.

— Je me changerai.

Le Lombard désigna le branle.

— Pèlerins et voyageurs prennent toujours leur literie avec eux, mais j'ai pensé que vous n'auriez pas ce qu'il fallait, et je vous ai laissé ma couverture et mon coussin. J'en ai d'autres en réserve.

— Mais...

— C'était ma chambre. Vous pouvez mettre votre coffre là, au-dessous. C'est pour ça que j'ai choisi un branle. Placé en long et bien tendu, on n'y sent pas le roulis. Vous vous y ferez, vous verrez, on y dort bien.

— Votre cabine ! Mais je ne voulais pas vous déloger, pourquoi...

Giovanni eut un haussement d'épaules.

— Quel moyen de faire autrement ? Il était impossible, vous l'imaginez bien, de vous mettre dans le dortoir des hommes ou sous la tente extérieure avec l'équipage. Il y a rarement des femmes sur les bateaux de commerce par ici.

— Je comprends.

Les traits du Lombard s'étaient durcis.

— Il faudra plus que ça, damoiselle, je ne veux pas de mutinerie à bord ni de bagarres. Il y va de votre honneur, mais aussi de votre vie. N'oubliez jamais que pour les marins, toute occasion est bonne à prendre... Ne vous trouvez pas isolée, gardez votre capuche, ne jouez pas avec votre chevelure et évitez de les regarder en face. Ils prendraient cela pour de la provocation. Et, au bout de quelques jours de mer, croyez-moi, le besoin des femmes se fait sentir, d'autant que d'après ce que je sais, nous ferons le moins d'escales possible, en tout cas pas dans des ports.

Eleonor rougit et baissa la tête. Le Lombard lui tendit une petite clef de fer.

— Ceci pour la cabine, et n'oubliez jamais de fermer votre coffre.

— Bien.

— Gardez-la toujours dans votre aumônière. Quant à votre chien, qu'il reste avec vous, je ne veux pas qu'il effraie mes hommes. Qu'il dorme ici, cela vous rassurera et vous évitera peut-être quelques visites nocturnes. Et la nuit, n'oubliez pas de mettre ça en travers du vantail.

Giovanni lui désigna une grossière barre de bois qui permettait de fermer la porte de l'intérieur.

— Je vous remercie.

Le Lombard s'inclina et fit demi-tour. La jeune femme ressortit, s'écartant pour laisser passer Gautier qui poussa ses bagages sous le branle.

— C'est pas bien grand, remarqua-t-il. Si vous n'avez plus besoin de moi, j'vous laisse, maîtresse. J'vas voir où dormir et ranger mes affaires.

Eleonor regagna son réduit, l'inspectant avec soin avant de s'asseoir sur son coffre. Une angoisse diffuse lui serrait la gorge. L'excitation de la veille s'était envolée. Était-ce le fait de se retrouver seule femme à bord ? Ou bien l'imminence du départ et l'éloignement des siens ? Tout lui semblait étrange et elle se sentait si gauche ! Elle songea à son père, là-bas, à Fierville. Ne sachant que faire d'une fille aînée alors que l'occasion d'un remariage prestigieux s'annonçait, il s'était débarrassé d'elle.

Elle se moqua d'elle-même. Son père l'avait aimée et maintenant que sa mère était morte, il regardait vers un avenir où elle n'avait plus sa place. Mais ne fallait-il pas un jour quitter l'enfance ? Tourner le dos aux siens sans regarder derrière soi ?

Non, ce n'était pas cela qui la dérangeait, mais sa propre naïveté et ses peurs. Elle qui se croyait capable de toutes les audaces, elle découvrait qu'être sur ce bateau, c'était déjà être en terre étrangère. Les paroles du Lombard, même s'il s'avérait un hôte prévenant, l'avaient inquiétée. Elle s'efforça de voir le bon côté des choses : la literie propre, sa petite cabine. Au moment où elle allait repousser sa porte, celle-ci s'entrebâilla : c'était Tara qui l'avait poussée de son museau. L'animal la contempla de ses yeux vairons puis alla s'allonger de tout son long sur une natte entre la malle et le mur, poussant un profond soupir d'aise.

— Eh bien, tu as trouvé ta place, on dirait ! murmura Eleonor en fermant à clef et en ouvrant sa malle.

Elle eut tôt fait d'enfiler ses braies, une chainse d'homme, un gilet de fourrure puis des bottes de cuir souple. Elle se sentait mieux. Giovanni avait raison.

— Me voilà transformée en cavalier, fit-elle, prise d'un soudain élan de bonne humeur. Comment me trouves-tu, Tara ?

Le chien poussa un bref grognement.

— Quel enthousiasme ! Tu me préférais en damoiselle, c'est cela ? Tu es bien un mâle !

Elle glissa son poignard à sa ceinture, se revêtit de son manteau, puis ajouta :

— Allez, viens, il n'est pas l'heure de dormir ! Allons voir où est ce pauvre Gautier.

Amusée, elle ajouta :

— Voilà que je te parle maintenant !

Le chien sortit, elle referma soigneusement et glissa la clef dans son aumônière, reprenant l'étroit couloir menant au dortoir voisin.

Son serviteur, assis sur un cadre de bois, se tenait la tête entre les mains. Debout devant lui, un mousse le fixait, la bouche ouverte. L'enfant était maigre, le cheveu rare, et son air endormi rappelait à Eleonor celui du simple de Fierville.

Un marin qui traversait le dortoir interpella le gamin avec rudesse :

— Hé, le Bigorneau, viens par là ou il va t'en cuire !

Le petit gars sursauta et partit d'un pas lent qui lui valut aussitôt une taloche sur le crâne.

Gautier n'avait pas bronché.

— Eh bien, mon ami. Tu en fais une tête !

— C'est que je dois dormir là-haut, fit-il en désignant l'un des sacs de toile. Toutes les paillasses sont prises. Et je ne vois pas bien comment on peut dormir dans un lit qui bouge comme une feuille dans un arbre ! Et quand il y aura des tempêtes, vous imaginez !

— Non, Gautier, non, je n'imagine pas. Chaque chose en son temps. Tu as déjà fait la sieste sur la fourche d'un arbre, cela sera certainement plus confortable.

— Si vous le dites, fit le vieux, maussade.

— Allez, tu m'accompagnes sur le pont ?

— Non, j'vas rester un peu.

— Alors, ne bois pas trop, n'oublie pas que le voyage sera long.

— Qui vous dit que j'vas boire ? protesta le vieux.

— Gautier…

— Bon, bon ! Voyez, maîtresse, j'm'étais dit que si j'suis un peu soûl, je verrais pas le port s'en aller.

Attendrie par les soucis du vieil homme, Eleonor posa un instant une main réconfortante sur son épaule.

— Tout ira bien, Gautier, et tu verras, là-bas, nous vivrons comme rois et princes.

Quelques instants plus tard, elle était sur le pont avec Tara, passant entre les rangs de rame. Elle sentit les regards des marins sur elle et, pensant aux mises en garde du Sicilien, rabattit vivement sa capuche et se détourna. Perdue dans ses pensées, elle n'avait même pas remarqué que le navire s'éloignait du quai. Le choc des vagues sur la coque lui fit comprendre qu'ils étaient partis. Son anxiété disparut, faisant place à une excitation d'enfant.

13

Sur les quais et le long de la grève couraient des gamins qui leur faisaient de grands signes d'adieu. Au milieu de la foule des curieux qui observait la manœuvre, Tancrède aperçut la silhouette trapue du prévôt. Knut jeta un nouvel ordre et les amarres retombèrent sur le pont. Pour la première fois, Tancrède perçut le mouvement de la mer sous ses pieds, le lent et insistant balancement de la houle.

Harald abaissa le gouvernail latéral, les avirons plongèrent dans l'eau, l'étrave se tourna vers le large. Aiguillonnés par la voix du maître de la hache, les marins chantaient en souquant sur le bois mort. Un chant étrange à quatre temps dont le troisième correspondait à la poussée des rames. Le jeune homme se pencha par-dessus le plat-bord : la mer était si proche qu'il pouvait la toucher. Il observa la coque éclaboussée d'écume et resta un moment ainsi, insensible aux embruns qui mouillaient son visage.

Quand il se redressa, ils quittaient l'abri de la rade et dépassaient la tour de feu. Le château et l'église Saint-Nicolas allaient s'amenuisant.

Ici et là, des rochers affleuraient. Les vagues bruissaient. Ils avaient ralenti et Tancrède réalisa que le tambour s'était tu et que les rameurs manœuvraient en silence.

Non loin de lui, à l'avant, un homme jetait à l'eau une ligne de sonde lestée d'un plomb, la relevait et examinait les indications qu'il donnait au pilote debout à ses côtés.

L'un derrière l'autre, le serpent et le knörr se dirigeaient vers la haute mer. La houle se faisait plus forte. Le serpent glissait sur la crête des vagues. Sur un ordre d'Harald, les marins hissèrent la grand-voile. Carrée et de couleur pourpre, elle se déplia avec un claquement sec. Le vent était portant et elle se gonfla aussitôt. Les marins achevèrent de la tendre avec de longues perches de bois.

— Vous êtes livide, remarqua Hugues qui n'avait cessé d'observer son protégé.

— Oui, je ne me sens pas très bien... s'étonna Tancrède. Trop mangé sans doute, ou trop bu, hier au soir.

Le navire épousait les lames. Sa proue recourbée plongeait et se redressait. Le jeune homme pâlit davantage et l'Oriental secoua la tête.

— Non, cela s'appelle le mal de mer. Enfant, quand nous avons pris le bateau tous deux, vous l'aviez déjà. J'espérais que cela vous aurait passé, mais...

Il s'interrompit, Tancrède s'était précipité vers le plat-bord. Quand il se redressa, le visage verdâtre, Hugues lui tendit une fiole.

— Avalez ça.

Tancrède hocha la tête, trop nauséeux pour répondre. Il but une grande gorgée du liquide et fit la grimace tant c'était amer.

— C'est aussi efficace que mauvais, le rassura Hugues.

— Alors je dois être déjà guéri, marmonna le jeune homme en s'essuyant d'un revers de main.

— Oui, vous voyez, vous retrouvez votre sens de la repartie.

Il eut un faible sourire.

Un albatros planait au-dessus d'eux. Les deux navires longeaient la côte, laissant à bâbord les rochers de Quillebeuf où s'était brisée la *Blanche-Nef* quelque trente-cinq ans plus tôt.

14

Eleonor sourit. À la sortie de la rade, le navire était monté souplement à l'assaut des vagues et avait gagné la haute mer. Une voile pourpre était tombée du haut de la vergue. Devant eux filait la silhouette longue et basse de l'esnèque. Barfleur n'était plus qu'une tache minuscule qui bientôt s'effaça. Elle posa la main sur la tête du chien sagement assis à son côté. Le Lombard qui discutait non loin d'elle avec d'autres passagers lui fit signe de les rejoindre, et elle n'y parvint qu'en trébuchant et en manquant s'étaler sur le pont à plusieurs reprises.

— Vous n'avez pas encore le pied marin, remarqua le Lombard, mais ça va venir. Je vois que vous vous êtes changée. Bravo ! Les vêtements de cavalier vous vont aussi bien que ceux de damoiselle. Puis-je vous présenter vos compagnons de route ?

— Avec plaisir.

— Voici maître Richard, qui nous vient de Caen.

L'homme s'inclina devant la jeune fille. Grand et mince, large d'épaules, il portait un bâton de marche et une cape sur laquelle était grossièrement cousue une coquille Saint-Jacques. Il avait la voix et les manières d'un homme éduqué.

« Sans doute quelque notable payant ses péchés à Dieu », songea Eleonor en le détaillant.

— Je suis en marche vers Compostelle, fit le pèlerin. C'est mon deuxième pèlerinage. Quel plaisir de trouver une femme à bord ! Mais, dites-moi…

L'homme regardait le chien gris avec défiance.

— Ce n'est point là la bête qui était à Barfleur ?

— Le prévôt m'en a fait présent, déclara Eleonor.

— C'est celle que les gens surnommaient le « loup ». On disait qu'il avait tué…

— Il ne faut pas écouter tout ce que disent les gens, le coupa Giovanni avec bonne humeur. Le prévôt m'a assuré que, malgré sa taille et son allure de fauve, c'était la bête la plus douce qu'on puisse trouver. Il m'a bien fallu, pour les beaux yeux de la damoiselle de Fierville, l'accepter sur le knörr. Ce qui n'est pas du goût de notre mascotte de bord.

— Vous avez une autre bête ?

— Oh, sans doute plusieurs, vous seriez surprise de tout ce qu'on peut trouver dans les cales d'un navire ! Mais je pensais au chat chargé de tuer les rats.

— Ah !

— Pour en revenir à maître Richard, nous le laisserons à La Rochelle.

— Oui, fit le pèlerin dont les yeux noirs n'avaient cessé de scruter le visage d'Eleonor. Je dois y rejoindre d'autres compagnons avec qui je ferai route vers le col d'Ibañeta et l'hospice de Roncevaux. Ultreïa !

Un moine, vêtu de la robe blanche des cisterciens, se tenait à côté d'eux. Eleonor se fit la réflexion qu'il devait être aussi jeune qu'elle. L'air intimidé, il la contemplait de ses yeux pâles en croisant et décroisant ses doigts minces.

— Et voici frère Dreu. Présentez-vous, mon frère, il n'y a pas de vœu de silence à bord ni de prieur pour vous faire taire ! l'encouragea le Lombard avec un grand geste. La damoiselle de Fierville sera heureuse de mieux connaître ses compagnons de voyage.

— Oui, bien sûr, bégaya le jeune religieux. Mais je ne suis qu'un humble moine copiste. Je viens de l'abbaye de Savigny, et je me rends au monastère cistercien du Castelas, sur l'île du Levant, pour y créer un scriptorium.

Un homme sortait des dortoirs. Mince et brun, il était habillé de noir et portait, sous sa tunique, une cotte de mailles. Sa cape entrouverte laissait apercevoir, passés dans sa ceinture, un poignard à la garde ornée de pierreries et une épée.

— Permettez-moi de vous présenter le chevalier Bartolomeo d'Avellino, fit Giovanni.

En entendant prononcer son nom, l'homme fronça les sourcils. Il jeta un bref regard à Eleonor et aux autres, puis se détourna sans mot dire, gagnant la plate-forme au-dessus du château arrière près du stirman.

— Il n'aime guère la conversation... commenta le Sicilien. Il me reste à vous présenter notre poète, Robert

Wace, mais excepté la compagnie de frère Dreu, il semble préférer celle des mouettes. N'est-ce pas, mon frère ?

Le jeune moine s'empourpra et balbutia quelques mots incompréhensibles où il était question de théologie et de poésie.

À l'étrave se dressait une silhouette isolée, enveloppée d'une cape.

— Nous aurons tout le temps de faire connaissance par la suite, remarqua Eleonor.

— C'est vrai. Je vois que vous vous habituez à mon bateau. À la fin du voyage, vous le regretterez, j'en suis sûr.

Un mousse s'était approché d'eux, un petit gars au visage auréolé de boucles blondes.

— Eh bien, P'tit Jean, que me veux-tu ? demanda Giovanni.

— Le capitaine veut vous voir, mon maître.

— Pardonnez-moi tous, fit le marchand, en s'inclinant courtoisement.

Eleonor en profita, elle aussi, pour s'esquiver, gagnant sans se presser l'avant du bateau, observant l'homme qui se tenait face aux embruns. Elle qui aimait tant lire, jamais de sa vie elle n'avait croisé de poètes, là-bas, dans son manoir de Fierville. L'homme auquel Giovanni avait donné ce titre était richement vêtu d'une cape doublée de fourrure de petit-gris. L'air grave, il fixait la côte et leva la tête en entendant le bruit de ses pas. Les traits de son visage étaient disgracieux mais sa tournure élégante et son regard vif. Il l'observa sans gêne, puis se courba devant elle.

— Une femme habillée en homme escortée d'un loup, quelle singulière rencontre ! s'exclama-t-il. Mon nom est Robert Wace, poète de son état. Et vous, damoiselle au clair visage ?

La voix était douce, les manières enveloppantes. Eleonor songea que l'homme n'avait pas le contact si difficile que le marchand l'avait bien voulu dire, à moins que cet accueil chaleureux ne fût réservé qu'aux femmes.

— Eleonor de Fierville, messire Wace.

— Que fait une jolie femme sur une esnèque ?

— Elle se demande ce qu'y fait le poète.

— Il vous attendait. La mélancolie ne me va pas et je baignais dans ses eaux troubles. Vous m'en avez sorti, je vous en suis gré.

Puis, plus sérieusement, il ajouta :

— Je me demandais si je reviendrais jamais à Jersey, c'est notre prochaine escale et celle où, hélas, je vous quitterai. Mes parents y sont en terre depuis longtemps, je ne connais plus personne, et pourtant cette île de Jersey m'a abrité pendant de longues années. J'en connais le moindre rocher, le moindre arbre, la moindre source.

— Je me suis posé la même question en quittant le duché de Normandie, avoua Eleonor en s'accoudant à ses côtés.

— Et où donc partez-vous ?

— Fort loin, messire, en Sicile, retrouver mon futur époux.

— C'est un long voyage pour une femme seule. J'espère votre promis de haut parage, damoiselle, et bel et doux.

Il était si près d'elle qu'elle sentait le parfum dont son mantel était imprégné. Elle regarda ses mains, blanches et douces, des mains de clerc, et s'écarta.

— Vous me laissez déjà ? fit-il.

— Nous nous reverrons.

— Je l'espère. Le bateau n'est pas si grand que je ne puisse à nouveau vous y croiser. Je vais regretter de n'aller que jusqu'à Jersey, damoiselle.

Comme Eleonor s'empourprait, il s'inclina.

— Ne me jugez pas sévèrement. Le poète que je suis aime à dire à la beauté qu'il l'aime. Et même si mon cœur appartient tout entier à la reine, je sais reconnaître une femme de qualité quand j'en croise une. Mais vous n'êtes guère habituée à nos manières de cour et ce n'est point courtois de ma part d'en faire usage.

— Certes non, je n'y suis pas habituée, répliqua-t-elle plus sèchement qu'elle ne l'aurait voulu. Et plût à Dieu que je ne le sois jamais. Je préfère l'étude et les longues chevauchées sur la lande.

— Voilà qui est fermement dit. Mais je ne serais pas si sévère. Moi qui suis né à Saint-Hélier, j'ai trouvé bien des charmes à Poitiers, à commencer par la fréquentation de notre reine.

Eleonor essaya en vain d'imaginer la cour de Poitiers, les esprits brillants qui s'y croisaient et la magnificence de la grande Aliénor d'Aquitaine, l'épouse d'Henri II. Tout cela la ramena au manoir de sa jeunesse. Ce n'était pas un lieu doré où les poètes se disputaient les faveurs des femmes, mais elle y avait aimé les couleurs du printemps, les odeurs de l'hiver et cette rudesse qui l'avait faite telle qu'elle était aujourd'hui.

— À quoi songez-vous, damoiselle ? fit doucement le poète.

— À tout ce que j'ignore encore.

Wace sourit.

— Vous apprendrez vite tout ce qu'il y a à apprendre, damoiselle. Je ne m'en inquiète pas. Je vous laisse, il serait trop douloureux que ce soit vous qui vous éloigniez de moi. À vous revoir.

15

Le capitaine Corato était au gouvernail avec un géant blond que Giovanni Della Luna ne reconnut pas.

— Tu cherchais après moi, capitaine ? Qui est celui-là ?

— Je sais, mon maître, que vous aimez connaître les gens qui travaillent sous vos ordres. Je voulais vous présenter notre nouveau rameur.

— Ah oui, c'est vrai, acquiesça Giovanni en se souvenant de leur conversation sur le quai de Barfleur. C'est toi qui connais la côte jusqu'au Mont-Saint-Michel ?

L'homme acquiesça d'un signe de tête. Grand, blond, le regard bleu, il devait avoir une trentaine d'années, l'aisance et la souplesse d'un guerrier plus que d'un homme de mer.

— Si tu te présentais, demanda le Lombard.

— Mon nom est Bjorn[1]. Je viens de Pirou, en Cotentin.

— Et que sais-tu faire, Bjorn, à part tenir des rames ?

— Garder les abeilles, pêcher, monter à cheval, nager… Et puis lire, écrire et me battre, aussi.

— Lire et écrire ! Ce n'est point courant sur les bancs de nage. Est-ce que tu sais aussi compter ?

— Oui.

— Qui te l'a appris ?

— J'ai été élevé au château… C'était l'aumônier.

— Bien. Et pourquoi l'as-tu quitté, ce château où l'on apprend aux manants à lire et à écrire ?

— Je ne suis pas un manant, mais un homme libre ! protesta Bjorn. Je voulais prendre la mer.

— Eh bien, tu l'as prise, l'homme libre ! fit Giovanni. Si tu travailles bien, je ferai de toi davantage qu'un rameur. Où veux-tu aller ?

— Jusqu'où le vent nous poussera.

Le Lombard se tourna vers le capitaine Corato.

— Donne à celui-là davantage de travail qu'à ses compagnons, ordonna-t-il d'une voix dure. Et qu'il tienne seul un banc de nage pendant quelque temps. Je veux qu'il fasse tout ce qu'il y a de plus rude à bord, mais aussi que tu lui enseignes la mer.

Puis il se tourna à nouveau vers Bjorn.

— Tu as entendu ?

Le géant acquiesça et, sur un signe du capitaine, retourna à son banc.

1. Voir *Le Peuple du vent*, op. cit.

— On va avoir du brouillard, annonça Corato d'un air inquiet.

Giovanni regarda l'horizon sans nuages, la mer agitée d'une houle calme. Ils avaient dépassé le fin bout de la presqu'île du Cotentin et voyaient se profiler les premières îles. Loin derrière eux s'amoncelaient des nuées noires.

— Vous autres, gens de mer, voyez des choses que nous ne voyons pas. Mais c'est pour cela que nous vous payons. Tu crois que ça peut nous empêcher d'atteindre Jersey ?

— Peut-être, fit Corato en haussant ses larges épaules. On verra ce que décidera le pilote d'Harald. C'est lui qui commande la marche et y a pas meilleur que lui. Mais va y avoir de la brume, c'est sûr. Et par ici, c'est pas bon. Cette mer, c'est un tas de cailloux !

16

Pendant ce temps, à bord de l'esnèque, Tancrède, debout près de l'homme de gouvernail, contemplait, fasciné, l'horizon vide et mouvant. Il se demanda soudain depuis combien de temps ils avaient quittés Barfleur.

Des centaines de mouettes les escortaient, des bancs de poissons argentés s'enfuyaient devant l'étrave recourbée. Le sondeur avait cessé depuis longtemps de « chanter le fond ».

Tout était si neuf ! Le visage rougi par le froid, son mal de mer oublié grâce à la potion donnée par Hugues, il s'abandonnait à la sensation inhabituelle du va-et-vient de l'océan sous ses pieds. Il se sentait lourd et maladroit comme un enfant qui doit apprendre à marcher. Il chercha la côte du regard, essayant de trouver des repères dans un espace qui, pour lui, n'en avait plus.

Il ne savait décrypter la danse des nuages ni celle des vagues, ni observer les poissons et les oiseaux comme il l'avait vu faire au pilote. Alors, il écoutait et regardait, impatient d'apprendre les noms et les usages de ce monde nouveau qui s'ouvrait à lui.

Il marcha avec précaution vers l'avant, se courbant pour éviter les mouvements brusques de la voile, trébuchant dans les cordages. Il découvrait à chaque instant l'étonnante souplesse du navire et comprenait mieux le nom de « serpent » que le stirman lui donnait. La coque épousait chaque mouvement de houle. Jamais elle ne heurtait la crête des lames, elle glissait dessus. Elle était vague elle-même.

Il leva la tête et contempla un instant la girouette dorée qui indiquait la régularité du vent d'est qui les poussait. Les hommes avaient rentré les avirons et refermé les trous de nage, fixant leurs boucliers au plat-bord par des courroies de cuir.

Hugues était assis près de l'étrave, non loin du pilote, son style et sa plaquette de cire à la main, l'air rêveur.

Tancrède le rejoignit et s'adossa à l'abri des embruns, observant la façon dont le stirman manœuvrait l'énorme gouvernail placé sur le flanc gauche de l'esnèque. Il apercevait la forme trapue du navire de charge loin derrière eux, sous voile lui aussi.

Très à l'aise, les rameurs, assis sur leurs coffres, plaisantaient entre eux. C'étaient pour la plupart de jeunes et robustes Norvégiens comme Harald et Knut et ils discutaient en norrois, une langue que Tancrède ne comprenait que très mal.

À l'écart se tenaient Magnus et ses hommes. Vêtus de cottes d'épais drap noir que recouvrait un gilet de peau de loup, leurs haches de guerre en travers du dos, ils restaient silencieux et ne se mêlaient pas à l'équipage, sauf pour ramer quand il le fallait.

Tancrède voyait mieux maintenant celui qu'il n'avait qu'entraperçu la veille dans la pénombre de l'auberge :

Magnus le Noir, un géant au crâne rasé, le visage couturé de cicatrices.

L'homme se sentit observé et, un court instant, leurs regards se croisèrent. Tancrède détourna le sien, mal à l'aise. Il n'y avait pourtant pas de menace dans les yeux du guerrier. Une main se referma sur son épaule et il sursauta. Ce n'était qu'Hugues.

— Mieux vaut éviter de les regarder, lui conseilla l'Oriental en l'entraînant avec lui.

— Je n'ai jamais vu des yeux comme ceux-là !

— Vous avez pourtant déjà fermé les yeux des morts, rétorqua Hugues. Ceux-là le sont déjà. Les hommes de sang sont des morts en marche.

— Vous m'avez dit que vous me parleriez d'eux...

— Mais nous n'avons guère eu de temps ni de calme pour le faire.

— Vous disiez qu'il ne restait rien de vivant après leur passage...

— C'est vrai.

Le visage d'Hugues s'était assombri. Il semblait regarder en dedans de lui-même et c'est d'une voix sourde qu'il déclara :

— Ceux que j'ai rencontrés dans les Pouilles s'habillaient de peaux d'ours ou de loup comme ceux-là. Ils se nommaient entre eux « bersekirs ». Je crois qu'en norrois cela veut dire « chemises d'ours ». Ils revendiquent leur appartenance à une ancienne élite guerrière. On les dit capables de prouesses sans égales. Je les ai surtout vu faire preuve d'une terrible fureur...

L'Oriental s'était tu comme si le souvenir des combats passés était devenu trop dur à évoquer.

— Racontez-moi ! insista Tancrède que tant de réticences intriguait.

Hugues se rapprocha de lui et baissa la voix, lui parlant comme en confidence :

— Je venais d'avoir dix-huit ans, j'étais jeune, impatient, Venosa a été mon premier baptême du sang. Mais il faut d'abord pour que vous compreniez que je vous

84

raconte la défaite de Nocera… L'Italie du Sud, même du temps du grand roi, a toujours été un lieu de rébellion et de batailles. Pourtant, cette année-là, le chroniqueur Falcon de Bénévent a écrit : « La lune a pris tout à coup la couleur du sang. » L'armée de Roger II de Sicile avait mordu la poussière à Nocera et lui-même, le grand roi, avait dû fuir comme un misérable avec seulement trois de ses hommes pour se réfugier à Salerne. Il revint l'année suivante, bien décidé à se venger de cette terrible humiliation. C'était en mai 1133. Je me souviens des amandiers en fleur, du chant des oiseaux, de l'incroyable douceur de ce printemps-là. Roger a concentré ses armées en Calabre, le berceau de sa lignée, et a lancé ses contingents musulmans contre la ville de Venosa. J'étais avec une vingtaine de barons normands et il y avait ces guerriers fauves. C'était la première fois que je les voyais…

Tancrède n'avait jamais senti Hugues si troublé. Il réalisa combien la vie de son maître lui était étrangère et combien celui-ci avait été aussi discret sur ses origines à lui que sur sa propre vie passée.

— Les habitants de la ville ont été systématiquement massacrés par les troupes musulmanes et les guerriers fauves se sont chargés de certains notables et Normands rebelles avec un raffinement de cruauté. Je les ai vus, enduits du sang de leurs victimes, en proie à une fureur qui dépassait l'entendement… Ils mutilaient les femmes et les enfants, crevaient les yeux, coupaient les membres, et déployaient ce qu'ils appelaient l'« aigle de sang » sur les hommes qui leur avaient tenu tête.

— L'aigle de sang ?

— Ils excisaient le dos de leurs victimes et tiraient les poumons par les entailles pour les étaler sur le dos comme des ailes…

Tancrède avala sa salive et regretta aussitôt d'avoir demandé une explication.

— Après ce massacre, reprit l'Oriental, beaucoup d'entre nous ont perdu la raison. Ils erraient comme des fous en hurlant dans les collines. Le charnier était immense. Des milliers de corbeaux formaient un nuage sinistre au-dessus de la ville. On a commencé à élever des bûchers pour brûler les corps, éviter une épidémie… et cacher nos crimes. Personne n'a jamais oublié Venosa. On n'oublie pas, on ne peut pas oublier la guerre.

— Et vous, qu'avez-vous fait ?

— J'ai tué, moi aussi, ce jour-là. Plus que je n'ai jamais tué dans toute ma vie. Ensuite, je suis resté bien des jours sans pouvoir ni manger ni boire… Le cœur, le corps et l'âme malades, à vouloir mourir, maudissant ma condition d'homme.

Après ces mots, Hugues s'était tu. Tancrède respecta son silence et sortit, comme à chaque fois que ses pensées le tourmentaient, son couteau et un morceau de bois d'if trouvé sur le chantier naval. Il en examina distraitement les nœuds et les lignes, laissant ses doigts courir dessus avant de l'entailler de sa lame. Les réflexions de son maître faisaient écho aux siennes.

Il essayait d'imaginer Hugues couvert de sang, debout au milieu des cadavres, les cris des femmes et des enfants, la souffrance, la honte enfin.

Lui qui espérait qu'une bataille ou un duel le révélerait à lui-même… Était-ce là ce qu'il attendait ?

Pourquoi était-ce si dur de venir au monde ? Il se demandait si cette quête de lui-même prendrait fin le jour où Hugues lui parlerait de ses origines. Mais qu'étaient un patronyme ou un rang ? Il savait déjà que rien, sauf la vie, ne pourrait répondre à toutes ses questions. Et peut-être même fallait-il plusieurs vies avant de comprendre qui l'on était. Il se répéta son prénom, se disant qu'il ne possédait que ces quelques lettres et la certitude que du sang normand et oriental coulait dans ses veines. Ni ses yeux verts ni sa peau sombre n'étaient ceux des hommes du Nord. Avait-il vécu à Antioche, comme Hugues ? À Jérusalem, ou dans d'autres contrées ? D'où venait-il vraiment ? Pourquoi allait-il vers la Sicile ? Était-ce le lieu qui l'avait vu naître ?

Il n'avait pas cinq ans quand il avait quitté sa mère, lui avait dit Hugues un jour. Quand il était enfant, il rêvait souvent d'un lieu qui habitait sa mémoire, moins depuis ces dernières années. C'était un pays gorgé de soleil, où les femmes étaient belles, les arbres chargés de fruits étranges, les jardins bruissant de fontaines. Il voyait des remparts, des tours, des maisons blanches, des volets de couleur, des tissus chatoyants flottant au vent… Un homme le prenait dans ses bras, l'élevant vers la lumière, mais ses traits étaient flous. Quant à sa mère, elle avait été belle et douce, mais là aussi, le temps lui avait volé son visage.

Il se crispa, une boule d'angoisse grossissant dans sa gorge… La douleur était revenue. Cette douleur que les années lui avaient appris à apprivoiser mais non à effacer.

Qui était sa mère ? Était-elle encore vivante ? Et son père ?

Il regarda le bois et s'aperçut qu'il avait sculpté sans s'en rendre compte un minuscule visage de femme aux yeux tristes, encadré d'une longue chevelure bouclée.

Hugues se pencha vers lui et saisit le morceau d'if. L'étonnement se peignit sur ses traits.

— Gardez-le précieusement, fit-il en le lui rendant. Il lui ressemble.

— Quand me parlerez-vous enfin ?

— Que voulez-vous savoir ?

Après toutes ces années de silence, tous les « plus tard » ou « le moment n'est pas venu » de son maître, la question prit Tancrède au dépourvu. Il resta muet. Incapable de dire par quoi il voulait commencer, tant les questions qui le préoccupaient étaient nombreuses et se bousculaient dans sa tête.

Sentant son désarroi, Hugues reprit :

— Si vous en êtes d'accord, je vous parlerai d'abord de celle qui fut votre mère.

Le jeune homme eut l'impression de murmurer un « oui », mais aucun son ne sortit de ses lèvres. Ses mains tremblaient. Il les cacha dans les replis de sa cape et attendit que son maître reprenne la parole.

— Elle s'appelait Anouche. Elle était fille d'un orfèvre arménien et son nom voulait dire « douce, lumineuse, parfumée »… Elle avait été faite prisonnière avec les siens par Roger II et elle n'a échappé à sa condition d'esclave que grâce à l'amour que lui vouait votre père.

— Esclave, ma mère… répéta Tancrède d'une voix blanche.

Il se tut. Essayant d'assembler les bribes éparses de ses souvenirs et ce que venait de lui apprendre Hugues. Esclave. Prisonnière. Qu'avait donc dû subir celle qui lui avait donné le jour ? Il l'avait imaginée bergère, lavandière, princesse même, mais jamais esclave.

— Anouche, répéta-t-il. Je crois que cela me suffit pour aujourd'hui, Hugues. Je ne pensais pas qu'un simple nom pourrait autant me bouleverser. J'ai besoin de temps.

— Je ferai comme vous le désirez.

Il y avait de la tristesse dans la voix de l'Oriental. Une tristesse qui fit que Tancrède demanda :

— Vous l'avez connue ?

— Pas assez, hélas ! Je ne l'ai vue qu'à trois reprises. Même quand votre père l'a fait libérer du tiraz, elle a vécu recluse.

Le jeune homme se leva. Tous les mots le blessaient, le heurtaient : « libérer », « recluse », et pourtant, il savait que son maître les choisissait avec soin.

— Mais vous parlez au passé, n'est-ce pas ? Est-elle…

Il hésitait à demander ce qui était plus important que tout. Cette question pour laquelle il ne pouvait imaginer qu'une seule réponse.

— Est-elle encore vivante ?

— Non.

Le mot était tombé, détruisant tout sur son passage, le terrassant mieux qu'aucune arme n'aurait pu le faire. Il sentit ses jambes se dérober sous lui. Hugues poursuivait :

— Elle est morte l'année précédant notre départ. Vous n'aviez pas quatre ans.

Tancrède n'eut pas le courage d'en demander davantage et encore moins de parler de son père. Cette mère qu'il venait de retrouver, dont il se répétait le nom, Anouche – douce, lumineuse et parfumée –, était à nouveau morte pour lui.

— Je veux rester seul, murmura-t-il.

L'Oriental fit mine de s'approcher de lui, puis se reprit et s'inclina avant de s'éloigner.

Tancrède ne s'aperçut pas de son départ.

Anouche. Il répétait le nom de sa mère perdue.

Sa mère anéantie par un seul mot. Cette mère qui resterait toujours une inconnue. Dont la pensée l'avait aidé à grandir. L'espoir de la retrouver l'avait fait vivre, l'avait guidé dans la vie aussi sûrement que la main de son maître.

Jamais, comme dans ses rêves d'enfant, il ne pourrait courir vers elle. Jamais il ne la prendrait dans ses bras...

Pouvait-on éprouver la perte d'un être que l'on avait si peu connu ? Dont le souvenir si ténu n'était plus que l'écho de lui-même ? Pouvait-on ressentir un deuil vieux de quinze ans ? Sans doute, puisque les larmes lui montaient aux yeux. Tancrède se tourna vers le large et serra les poings, ses ongles s'enfonçant dans ses paumes.

PIQUE LA LUNE

17

Assis deux par deux sur les bancs de nage, une dizaine d'hommes d'équipage se partageaient biscuits de mer et lanières de viande séchée en buvant des rasades de vin coupé d'eau. Les autres s'activaient autour de la voile.

L'esnèque avait dépassé la pointe du Cotentin. D'autres navires croisaient au large, des nefs et des flottilles de pêche. Devant l'étrave se dessinaient une multitude de rochers, d'îles et d'îlots que survolaient des vols d'oiseaux de mer. Le vent devenait capricieux et, malgré les efforts des marins qui appuyaient sur les betas, les longues perches destinées à tendre la voile, celle-ci faseyait et le navire perdait de la vitesse.

Tout en manœuvrant avec adresse l'énorme gouvernail, Harald le stirman faisait le point avec son pilote, un jeune Breton connaissant la mer et la côte de Barfleur à La Rochelle comme le fond de sa bourse.

L'homme était aussi fameux pour son singulier caractère que pour son sens de la mer. De petite taille, le visage rond, les mains soignées, il avait pour l'océan des regards attentifs et soucieux d'amant jaloux. Qu'il soit à terre ou à bord, il se comportait comme un moine, buvant peu, mangeant juste, ignorant les puterelles qui pourtant lui couraient après tant il avait le visage doux et les manières courtoises.

Les marins le respectaient, disant entre eux que celui-là avait fait ses noces avec la mer. Et c'était vrai qu'il en parlait comme d'une femme aimée.

— Elle va s'amuser avec nous, fit-il soudain. Les bancs de poissons filent vers le large et les oiseaux vers la côte. Et puis ce ciel… On va bientôt trouver le brouillard.

Harald désigna la girouette à la tête du mât.

— Oui, depuis qu'on a doublé le cap, le vent ne cesse de sauter. Si tu es d'accord, je vais serrer la côte et nous allons affaler la voile, déclara l'homme de gouvernail.

— Fais-le, acquiesça le jeune gars.

— Aura-t-on le temps de gagner Jersey ?

Une grimace déforma le visage juvénile du pilote.

— Nous, on aurait peut-être pu, et encore, faut l'amadouer, pas la défier, elle aime pas ça. Mais pas le knörr. Il est lourd et trop lent à la rame, moins de gars que nous sur le pont.

Ils approchaient d'une île et distinguaient déjà les contreforts d'un ancien fortin. Des maisonnettes y étaient adossées ainsi qu'une tour au sommet de laquelle brûlaient de hautes flammes.

— Le feu d'Alderney ! Les ruines que tu vois là-bas sont celles d'un ancien camp romain. Il m'est arrivé d'y faire mouillage et d'y dormir. J'y ai même trouvé de la monnaie romaine. Sinon, là-dessus, y a rien que des lapins, des oiseaux et une dizaine de famille de pêcheurs à s'obstiner à y vivre.

Le stirman hocha la tête. Il respectait ce jeune gars capable de prévoir les tempêtes, connaissant les noms des vents, des rochers, des îles et des courants. Le Breton avait levé le nez et respirait l'air marin, les doigts crispés sur le plat-bord. Loin de s'inquiéter de ce qu'il sentait venir, le pilote paraissait se réjouir d'affronter un ennemi dont il savait la démesure.

— La brume a l'odeur épicée d'une femme, murmura-t-il.

Un îlot recouvert d'oiseaux noir et blanc était visible au nord d'Alderney.

— Les macareux ! déclara le gars. Ils arrivent toujours au début de l'année.

Ses yeux s'écarquillaient et avec son nez pointu lui donnaient la singulière expression qui lui valait le surnom de « Pique la Lune ».

Derrière les îles s'amassait une épaisse nappe de brume où se perdaient les rayons du soleil.

— Elle est là. Elle s'est cachée derrière Burhou, affirma le pilote avec un sourire satisfait. Allez, on vire, Harald, on va longer le Cotentin jusque vers Coutances. De toute façon, elle va nous suivre, à moins qu'elle ne soit déjà là-bas à nous attendre. Je vais prévenir Knut.

Le Breton courut à l'avant. Après quelques mots échangés avec Knut, celui-ci saisit le cor qu'il portait autour du cou et un long appel rauque résonna.

Les hommes rangèrent leurs affaires et reprirent leurs places aux bancs de nage pendant que d'autres se précipitaient vers la voile. D'une manœuvre souple, l'esnèque vira pour revenir vers la côte. Les marins affalèrent et lièrent la voile pourpre. Puis Knut donna le rythme de nage, frappant du plat de sa hache sur un bouclier qu'il maintenait devant lui.

L'esnèque hésita puis, tirée par ses rameurs, reprit sa marche.

Ils longeaient les falaises et les criques du Cotentin. Loin derrière eux marchait un petit navire de guerre, un paro à la coque vert pâle. Des pêcheurs s'arrêtaient pour les regarder passer. Des gamins couraient le long de la grève et sur les dunes. Puis, d'un coup, leur vision s'obscurcit, un voile brumeux se profilait entre eux et le littoral. Ici et là, des trouées de lumière permettaient encore d'apercevoir les plages et les forêts qui venaient mourir aux berges des havres. Le knörr, trop lourdement chargé pour ses rameurs, peinait à les suivre.

Des dauphins apparurent soudain devant le nez du navire, entourant l'étrave, filant devant, passant dessous, se jouant d'elle puis sautant très haut comme pour les défier et retombant dans des gerbes d'écume.

— Ils doivent venir de la baie de Barneville, marmonna le pilote en les observant. Vivent là été comme hiver.

L'homme était tendu. Il attendait quelque chose et scrutait autour de lui de son regard aigu, essayant de percer la brume qui les empêchait de voir la côte. Le son d'une cloche leur parvint soudain, provoquant un large sourire sur son visage lunaire.

— Là voilà ! s'écria-t-il en baisant la médaille de la Vierge qu'il portait autour du cou. C'est Notre-Dame. Ah, merci, merci ! On est bien là où je pensais. Allez, Knut, on vire tribord vers les Écrehou. Mais d'abord, faut attendre le knörr, on va les perdre.

— C'est pas dangereux, les Écrehou ? demanda le charpentier qui n'aimait pas ces parages riches en écueils et en courants traversiers.

— Je connais ! jeta sèchement le pilote. Tu me fais plus confiance, donc ?

— Mais si ! C'est juste que j'aime pas ce coin, protesta Knut en s'en voulant d'avoir oublié la susceptibilité du jeune homme.

— Si faut accoster, moi j'préfère là-bas qu'ici, fit l'autre. Et demain, on sera au plus près de Jersey.

— Tu penses donc qu'on y arrivera pas ce soir ?

— Elle va pas se lever, la belle !

Sa voix s'était radoucie et il tendit une main caressante vers la brume.

— L'est trop dense. Y faisait trop beau, j'te l'avais dit !

Et il était exact qu'alors qu'ils quittaient à peine Barfleur, contents d'avoir un temps aussi clair, le Breton l'avait prévenu qu'ils allaient rencontrer le brouillard.

Quelques instants plus tard, après que le knörr les eut rejoints, ils viraient vers le large.

Comme pour confirmer les prédictions du Breton, les nuées s'épaissirent encore, se dressant devant la proue tel un mur opaque.

— On met en panne ! jeta soudain le pilote qui s'était perché sur l'étrave.

Les contours du monde avaient disparu. Le maître de la hache jura. Le nez du navire et le haut du mât s'effaçaient lentement mais inexorablement, bientôt on n'y verrait même plus d'un bout à l'autre du pont.

Non sans avoir longuement sonné pour prévenir le navire de charge, l'esnèque s'immobilisa. Le pilote rejoignit le stirman avec qui il échangea de brèves paroles. L'étrave du knörr était si proche de leur poupe que les hommes s'apostrophaient d'un navire à l'autre.

— Silence, vous autres ! ordonna Harald. Le canot à la mer ! Et lancez un filin au knörr ! On va marcher à la traîne.

Une fois l'esquif descendu, le pilote et le sondeur se laissèrent glisser dedans avec un rameur.

Ils disparurent bientôt dans le brouillard et le câble qui les reliait à l'esnèque se tendit. Un soudain coup de trompe donna le signal aux rameurs qui plongèrent leurs avirons dans les vagues.

18

La brume avait enveloppé Hugues, debout à l'avant. Un ordre du pilote résonna si proche de lui que, perdu dans ses pensées, il sursauta.

— Le brouillard porte le son, expliqua Hugues à son protégé, apparu à ses côtés.

— Pourquoi sont-ils allés sur ce canot ?

— Vous ne pouvez pas vous en rendre compte. Mais si vous étiez descendu avec eux, vous verriez que la brume plane souvent à quelques pieds au-dessus de l'eau. Ils voient les écueils et les îlots, pas nous.

L'esnèque avançait au ralenti et le temps s'étira. La brume avait escaladé la coque, rampant sur le pont, cernant les silhouettes des rameurs avant de les effacer.

Tancrède avait l'impression singulière que, d'un instant à l'autre, leurs propres membres allaient disparaître et qu'en tendant le bras devant lui, il perdrait sa main. Ils ne voyaient plus rien, mais étaient environnés de bruits : celui des avirons qui plongeaient avec régularité, les vagues s'écrasant sur les récifs, le grognement du chien sur le knörr... Leurs visages et leurs vêtements étaient recouverts de fines gouttelettes d'eau. Il passa sa langue sur ses lèvres couvertes d'humidité salée, essayant d'oublier les abîmes qui s'ouvraient sous la coque et la mer hérissée de brisants... Et pourtant, depuis qu'il avait appris la mort d'Anouche, sa mère, un curieux sentiment de détachement l'envahissait qu'il n'arrivait pas à combattre.

Derrière eux, le knörr se laissait tirer, ses rameurs veillant simplement à maintenir la distance. Ils naviguèrent un long moment ainsi, puis un nouveau coup de trompe retentit, venant du canot.

— Nous allons bientôt toucher les Écrehou, commenta Knut qui venait d'apparaître. Si Dieu le veut, nous y passerons la nuit.

Alors qu'il disait ces mots, les rameurs inversèrent la manœuvre pour freiner leur approche. Le knörr avait jeté l'ancre. Les hommes démâtaient, arrimant à nouveau la longue pièce de bois sur le pont.

— Où sommes-nous maintenant ? Qu'est-ce que c'est, les Écrehou ?

Hugues réfléchit. Il avait discuté avec le stirman avant leur départ et s'était fait expliquer la route qu'ils allaient suivre.

— La mer, par ici, est pleine d'îlots rocheux, habités ou non. Je crois que celui-là est au nord-est de Jersey. Il n'y a rien dessus.

La brume s'était déchirée un bref instant, leur dévoilant une plage en forme de croissant lunaire et des rochers recouverts d'algues vertes déposées par les marées. Des oiseaux de mer s'envolèrent en criaillant.

Les marins avaient sauté à l'eau et, le torse et les jambes dans les vagues glacées, avaient saisi les filins que leur jetaient leurs compagnons. Ils se mirent les uns derrière les autres et, encouragés par les cris de Knut, halèrent le bateau. D'un bond, Tancrède sauta pardessus bord et, se glissant au milieu de la file des marins, s'arc-bouta avec eux, tirant de toutes ses forces sur la corde. Bientôt, la coque racla le fond puis s'immobilisa, à demi échouée sur la plage.

19

Grâce à Knut, la vie s'était rapidement organisée sur l'îlot. Les marins avaient monté une dizaine de tentes aux cadres de bois sculptés. Des trépieds aux pattes griffues soutenaient des marmites où cuisaient du poisson frais et des fèves. Des tonneaux de bière avaient été mis en perce. Les flammes des campements perçaient la brume, formant un halo orangé. La nuit était venue et, avec elle, la lueur diffuse de la lune.

Hugues et Tancrède étaient assis devant le brasier, silencieux tous deux, quand Giovanni les rejoignit. Le Lombard paraissait d'excellente humeur.

— Alors, cette première journée de mer ? demanda-t-il en se frottant les mains au-dessus du feu. Je ne pensais pas qu'on ferait escale sur ce caillou. Vous dormez à terre ou sur l'esnèque ?

— Ici, répondit Hugues. Harald nous a attribué une tente. Et vous ?

— Le navire était trop lourdement chargé pour l'échouage et quant à moi, je préfère rester à bord avec la marchandise. J'ai prêté ma cabine à la damoiselle dont vous m'aviez parlé. Elle est charmante, vous savez ?

Hugues ne réagit pas, mais le Lombard insista :

— Une jolie femme au caractère bien trempé. Malgré l'étrangeté de ce qui l'entoure, elle se tient comme un homme.

— Je veux bien le croire.

Ils se turent tous deux et Giovanni, intrigué, regarda Tancrède. Le jeune homme fixait les flammes et même si les efforts du halage avaient calmé les remous de ses pensées, il n'avait pas envie de parler. Il buvait sa bière en silence, tout comme le pilote, assis non loin d'eux.

Le Lombard eut un geste vers ce dernier.

— Voilà donc celui qui tient nos vies dans ses mains, reprit-il. Quel drôle d'homme avec sa figure d'enfançon et ses yeux rêveurs !

— Il a pour surnom « Pique la Lune », déclara Hugues.

— Cela lui va bien.

— Le stirman et le maître de la hache en font grand cas. Et nous l'avons vu à l'œuvre. Il m'a étonné, il semble connaître autant le ciel et la mer que le vol des oiseaux et les mouvements des poissons.

— Ces gens-là ne sont pas comme nous. Aussi différents qu'un moine peut l'être d'un homme du siècle. Mon capitaine, qui n'est pas un drôle, ne jure que par lui. Il dit que c'est le meilleur. Mais je l'imaginais autrement, sans doute plus vieux. Comme si le savoir allait toujours avec l'âge. Bon, je dois retourner avec mes passagers. On mange et puis on réembarque. J'ai une faim de loup. La mer m'a toujours creusé. À vous revoir.

— À demain, à Jersey.

Une fois le Lombard parti, Tancrède questionna son maître.

— Où sont passés les guerriers de Magnus le Noir ?

Hugues désigna un monticule rocheux.

— Ils ont planté leur camp de ce côté.

— Les hommes d'équipage n'ont guère l'air de les apprécier, sauf quand ils rament. Et à l'ouvrage, il faut avouer que ce sont de rudes gaillards. Combien durera notre navigation ?

— Deux mois, peut-être, je ne sais pas exactement, je n'ai jamais fait ce voyage par voie de mer. Pourquoi ?

Le jeune homme hésita.

— Je vais demander à Knut si je peux, moi aussi, aller sur les bancs de nage. Je ne pourrai rester sans rien faire si longtemps.

Un chant guerrier s'éleva d'entre les rochers. Tancrède se tourna de nouveau vers le feu.

Un long moment plus tard, tous deux regagnèrent leur tente, le jeune homme se glissant dans le sac en fourrures donné par Knut et s'endormant d'un coup.

Hugues resta un moment assis à écouter les bruits du camp, les voix, les chants au loin, et le ressac sur les galets.

Ses pensées tournoyaient et, pour une fois, son jeune compagnon n'en était pas le centre. Toutes ces années où il avait évité de parler de la Sicile… Maintenant qu'il revenait, qu'il commençait à révéler la vérité à Tancrède, l'impatience le prenait, lui aussi.

L'envie de revoir des visages connus, des lieux qu'il avait aimés.

Il songeait même – était-ce sa rencontre fortuite avec cette jolie brune aux yeux pâles à Barfleur ? – aux femmes de là-bas et au harem. Ce lieu à l'écart des hommes où tout n'était que poésie et plaisir, ce lieu où les rois normands avaient gardé les habitudes des sultans musulmans, leurs prédécesseurs.

Malgré la protection de la tente, l'humidité de la mer commençait à se faire sentir. Hugues frissonna et se glissa dans son sac, la main sur la garde de son poignard.

20

Il n'arrivait pas à dormir. Ses pensées tournoyaient sous son crâne comme un essaim de guêpes. Il se leva sans bruit, non sans avoir auparavant regardé autour de lui.

Les derniers buveurs avaient regagné leurs couches et même les sentinelles, assises en tailleur, somnolaient, les lances posées en travers de leurs genoux.

L'homme aimait ces moments de la nuit où il était le seul éveillé. Quand les autres dormaient, tout devenait possible. Il était tout-puissant. Il pouvait faire d'eux ce qu'il voulait. Ils lui étaient livrés pieds et poings liés. Un sourire sur les lèvres, il se redressa puis, d'un coup, se cassa en deux.

Il avait mal.

Sa cicatrice s'était réveillée. Dans la journée, il sentait sa peau gratter, tirer, mais le soir, la douleur venait. Par moments, c'était comme d'avoir un fer rouge planté dans le bas des reins. Il avait vu bien des médecins, juifs, arabes ou chrétiens, mais aucun n'avait su le soulager. Tous lui avaient dit qu'il n'y avait aucune raison pour que cette blessure vieille de plusieurs années le torture ainsi. Et pourtant, il avait même l'impression parfois qu'elle se rouvrait et qu'elle saignait.

D'une main hésitante, il tâta le bas de son dos, cherchant la plaie du bout des doigts. Mais non, elle était bien fermée. Il se força à respirer doucement, à chasser les images qui l'assaillaient. La voix sous son crâne s'était réveillée, elle aussi.

— *Je suis là,* disait-elle. *Je suis là. Crois-tu que je t'ai oublié ?*

— *Non.*

— *Tu ferais mieux de te recoucher. Que veux-tu faire ? À quoi penses-tu ? Ou plutôt à qui ?*

— *À personne.*

— *Pourquoi ce couteau dans ta main, alors ?*

L'homme s'aperçut que ses doigts s'étaient refermés sur la garde du coutel.

— *Je ne sais pas.*

102

— Tu as toujours menti. Tu es un lâche. Il le sait
bien, lui. Il l'a toujours su.
— Non. C'est lui qui m'a fait ainsi. Lui !

Une des sentinelles s'était réveillée brusquement.
— Qui va là ? fit-elle.
Son compère ouvrit aussitôt les yeux.
— T'as vu quelque chose ?
— J'sais pas. J'crois que j'ai entendu un bruit.
La sentinelle jeta un œil vers le sablier.
— Bientôt la relève. J'me suis endormi.
— Moi aussi. Tu veux que je fasse une ronde ?
À ces mots, l'homme dans la pénombre se figea. Là
où il se tenait, les autres ne pouvaient l'apercevoir à
moins qu'ils ne s'approchent. Et s'ils s'approchaient,
alors… Le poignard se leva.
Une ombre noir et blanc fila entre ses jambes, pour-
suivant un rat jusque sous le nez des sentinelles.
— Encore ce chat ! grogna le garde.
— Ben, au moins, lui, y fait son boulot, remarqua
l'autre en donnant une bourrade à son compagnon. C'est
ça, ton bruit !
— La relève va pas tarder. Ce satané brouillard
m'endort.
— On mange le sable ?
— La dernière fois qu'on a retourné le sablier on s'est
fait coincer ! protesta l'autre. Et moi, prendre des corvées
en plus pour gagner une heure sur ma paillasse, c'est pas
mon affaire.
— Bon, bon, fit le marin. J'vais faire un tour, alors.

21

À bord du knörr, Eleonor dormait depuis longtemps.
Elle s'était habituée très vite au branle, découvrant dans

le balancement de la houle un moyen rapide et sûr pour trouver le sommeil. Le navire de charge remuait doucement, soulevé par le mouvement souple des vagues. La brume le cernait.

Sur le pont allaient et venaient silencieusement les marins assurant le « quart du cimetière », la veille la plus rude, entre minuit et quatre heures du matin.

La jeune fille ne sut jamais si c'était le bref grognement de son chien ou un frôlement sur le bois qui l'avait réveillée en sursaut. Le cœur battant, elle se retourna.

Un rayon de lune tombait sur la poignée de porte qui s'abaissait lentement. Eleonor avala sa salive. La poignée remonta, puis s'abaissa de nouveau.

Un gémissement lugubre retentit, lui arrachant un frisson. Plainte du bateau ou de celui qui se tenait là derrière, tout proche ? Elle se leva sans bruit, posant ses pieds nus sur le plancher glacé, et alla coller son oreille au vantail.

Il lui semblait entendre une respiration. Les yeux agrandis par la peur, elle fouilla dans son mantel à la recherche de son poignard. Tara poussa un grondement sonore.

La poignée remonta d'un coup. Un bruit de pas légers, puis plus rien.

Elle passa la main sur la tête du chien, le caressant en cherchant à recouvrer son calme, hésitant à ouvrir. Puis, glacée, elle se recoucha, se pelotonnant sous sa couverture, son poignard serré contre elle.

Qui cela pouvait-il être ?

Pas Gautier ! Il n'était même pas descendu à terre et dormait dans sa toile, un cruchon vide sur le ventre, ronflant comme un bienheureux.

Un marin ivre ? Un passager ? Tout était possible.

Était-ce la joie d'avoir échappé aux écueils et aux dangers du brouillard ? Hormis le petit moine remonté à bord avec son écuelle, ils avaient tous bu ce soir-là.

Même le Lombard était méconnaissable, le visage rouge, les yeux injectés de sang, il expliquait en bégayant la route qu'ils allaient suivre au pèlerin que son discours semblait passionner. Seul le poète, très droit malgré de nombreux godets d'hydromel, avait continué à discourir, récitant des reverdies qui l'avait fait rougir. Une fois rassasiée de viandes grillées, d'assauts courtois et de poésie, Eleonor avait fini par l'abandonner aux charmes de la boisson.

Elle avait regagné le bord, se félicitant une fois de plus d'avoir adopté le grand chien.

Tara somnolait à nouveau sur sa natte.

La jeune fille se tourna et se retourna dans son couchage et finit par s'endormir peu avant l'aube, faisant des rêves agités où des marins armés de haches et de crocs lui couraient après en hurlant.

Quand, enfin, elle se réveilla, le bateau grinçait et des appels résonnaient sur le pont. Elle réalisa qu'il faisait jour et se leva d'un bond. Après avoir mis un peu d'ordre dans sa toilette, elle courut sur le pont.

Il n'y avait plus trace de brume. Le temps était clair et lumineux. Le bateau avait quitté les Écrehou et arrivait en vue de l'île de Jersey.

Ils longeaient des falaises et des plages de sable fin. Au loin tournaient les ailes d'un moulin. Les deux bateaux se dirigeaient vers une anse où se balançaient des barques de pêche. Sur un îlot, non loin du port, se dressaient les contreforts d'une abbaye fortifiée. Au-dessus de la ville, protégé par des palissades de bois, un manoir était apparu. Les couleurs d'Henri II flottaient au mât. Le village, une centaine de maisons de pêcheurs en bois aux toits de chaume, était vaste et animé.

— Vous avez bien dormi, damoiselle ? demanda la voix du pèlerin qui s'était approché sans bruit.

Eleonor sursauta, puis se tourna vers lui.

— Maître Richard, fit-elle. Vous m'avez surprise. Oui, j'ai bien dormi, et vous-même ?

— Pas beaucoup, avoua l'autre, les traits tirés. L'équipage était bruyant et la bière lourde. Puis je n'arrive pas à me faire à la houle.

Était-ce sa façon de la regarder ? Ou le fait qu'il ne ressemblait pas à l'image qu'elle se faisait des pèlerins ? Mais y avait-il un seul type de pèlerin ? Évidemment non. Elle n'y pouvait rien, elle était comme ça, à juger d'emblée, à aimer tout de suite ou pas du tout. Et celui-là ne lui plaisait pas. Et d'abord, que faisait-il sur ce bateau plutôt que sur le chemin de Compostelle ? Pieds nus ou à genoux comme la plupart. Elle se força à sourire, ajoutant :

— Moi non plus. Surtout au moment des repas.

Le pèlerin désigna l'île dont ils longeaient les falaises.

— Vous connaissez, ici ?

— Non. Je n'ai jamais vraiment quitté le château familial, sauf une fois pour aller à Caen avec ma famille.

L'homme s'approcha d'elle. Une drôle de lueur s'était allumée dans son regard.

— Vous devez vous trouver bien solitaire avec tous ces hommes autour de vous.

— Non.

— Seule femme à bord avec tous ces marins, c'est dangereux pour une pucelle. Il faudrait vous choisir un protecteur. Quelqu'un de solide…

La jeune fille s'écarta brusquement, laissant apparaître le mufle du chien qui gronda et montra les crocs.

— S'il me fallait un protecteur, comme vous dites, je l'ai déjà choisi, maître Richard !

— Mais, je… protesta le pèlerin.

— Ensuite, n'oubliez pas à qui vous parlez, ajouta froidement Eleonor. Je ne suis pas fille de laboureur ni de bourgeois, et mon père aimait à penser que je saurais me défendre en toutes circonstances.

Elle souleva les plis de sa cape, et la garde de son poignard apparut. Une drôle de mimique passa sur les traits du pèlerin. Pendant un bref instant, elle eut l'impression que tout cela l'excitait et que, bien loin de reculer, il allait la prendre d'assaut puis, d'un coup, son expression changea.

106

— Oh, mais qu'allez-vous penser ? se récria-t-il en reculant, le visage empourpré. Je ne voulais pas...

Il s'interrompit et tourna brusquement les talons, l'air offusqué.

La jeune fille le regarda s'éloigner, se demandant s'il n'était pas son mystérieux visiteur nocturne.

Un éclat de rire la fit se retourner. C'était Wace qui, apparemment, avait entendu leur échange.

— Compliments, damoiselle, fit-il. J'allais le chasser à coups de canne, mais je n'en ai pas eu besoin. Notre fâcheux est reparti bredouille.

Puis, plus gravement, s'inclinant devant elle :

— Je suis venu vous faire mes adieux, damoiselle, c'est ici que je vous quitte. Promettez de ne jamais oublier votre humble serviteur. Je finis de rédiger mon *Roman de Rou* et je vous fais promesse de vous en faire parvenir copie en Sicile. Écrivez-moi à la cour d'Aliénor.

La jeune fille saisit la main que lui tendait le poète et la pressa dans les siennes.

— Je le ferai.

— Il est des femmes que l'écriture appelle. Peut-être ferez-vous partie de celles-là, Eleonor ? Vous observez le monde avec trop de sagacité pour que cela ne serve qu'à un époux.

Un nouvel appel résonna. Ils accostaient. Le poète se détourna pour ramasser son bagage.

22

Alors que les marins lançaient les amarres et que les gens du port se précipitaient sur les quais pour voir les nouveaux arrivants, Tancrède, debout à la proue de l'esnèque, songea une nouvelle fois à son rêve.

Un singulier mélange de parfums, de goûts et de désespérance... Il se souvenait d'avoir planté les dents dans un fruit d'un jaune éclatant, un fruit à la morsure acide dont il avait oublié le nom. Une femme marchait devant lui d'une démarche souple de danseuse. Sa mère. Anouche. Douce, lumineuse et parfumée.

Il essayait de la rattraper, courait de toutes ses forces, hurlait son nom, mais elle ne l'entendait pas et s'éloignait jusqu'à n'être plus qu'une ombre dans le lointain de son rêve.

Il s'était réveillé avec le sentiment de mourir un peu...

LA MALÉDICTION

— J'aimerais que vous ayez raison, Tancrède, mais à mon avis, il est trop tôt pour le dire. J'ai connu là-bas, dans les Pouilles, un homme, un berger, qui s'en prenait aux bêtes et aux enfants. Il n'y avait rien de commun entre sa façon de penser, de ressentir et la nôtre. J'ai pu parler avec lui avant que les villageois ne le mettent à mort et, croyez-moi, je n'ai jamais rencontré quelqu'un qui soit aussi étranger à notre nature que celui-là… Sauf peut-être les guerriers fauves.

— Vous voulez dire que le tueur n'a peut-être eu ni le temps ni l'envie de frapper ?

— Les navires ne recèlent que peu de victimes comme celles qu'il aime tuer, hormis les mousses. Ensuite, que ce soit à bord de l'esnèque ou du knörr, je ne vois pas bien comment il aurait pu assassiner l'un d'eux sans se faire remarquer.

— Mais il peut tout aussi bien, vous en êtes d'accord, être resté à Barfleur.

— C'est une possibilité qui me réjouirait… Mais, regardez ! Là-bas !

L'Oriental avait cru distinguer une silhouette familière dans la foule qui se pressait près du navire de charge.

— Qu'avez-vous vu ?

— Quelqu'un de connaissance. Venez, allons à terre, nous aussi !

Ils descendirent précipitamment sur le quai et, jouant des coudes, se frayèrent un passage parmi les gens rassemblés près du knörr. Enfin, Hugues aperçut à nouveau celui qu'ils poursuivaient.

L'homme était grand, large d'épaules, mais ce n'était pas tant sa silhouette ni la blondeur de ses cheveux que sa façon tranquille de marcher et de balancer les épaules qui le faisait remarquer.

— Bjorn ! C'est lui, murmura Hugues. Il me semblait l'avoir aperçu sur l'un des bancs de nage, mais je n'étais pas sûr de moi.

— Que dites-vous ? fit Tancrède qui observait le manège d'un gamin avec un pèlerin de Saint-Jacques. Tiens, nous l'avons croisé à l'auberge, celui-là.

Le garçonnet avait baisé la main du pèlerin avant de s'emparer avec avidité des galettes que celui-ci lui tendait.

— C'est un des passagers du knörr. Je vous disais que je crois que c'est Bjorn qui est là-bas devant nous, répéta Hugues. Il était sur le bateau de Giovanni. Venez, hâtons-nous, je veux lui parler.

Ils pressèrent le pas, rattrapant le géant blond alors qu'il s'arrêtait devant l'étal ambulant d'une toute jeune marchande, contemplant les oublies, rissoles, fouaces et beignets étalés sur le fin voile d'étamine.

— Donne-moi celui-là, fit le marin en désignant un beignet ventru et doré.

La fillette saisit le sou qu'il lui tendait, enveloppant la pâtisserie dégoulinante de miel dans des feuilles de chêne.

— Bonjour, Bjorn, dit l'Oriental. Nous vous avons beaucoup cherché.

L'homme se retourna. Il parut à peine surpris et répliqua tranquillement :

— Eh bien, vous m'avez trouvé, messires ! Que me voulez-vous ?

— Parler, Bjorn, et vous enseigner aussi.

— M'enseigner, moi ? Que voulez-vous dire par là ?

— Si nous allions dans cette auberge, nous y serions plus tranquilles et je pourrais vous expliquer de quoi il retourne.

Le géant haussa ses larges épaules.

— Ma foi, si vous m'offrez à boire, cela m'aidera à digérer tout ce miel. Allons-y.

Il leur emboîta le pas, dévorant à belles dents son beignet.

— Vous ne le regretterez pas, fit Hugues en l'entraînant vers une auberge à l'enseigne du *Rovin Vignon*,

116

dont le crieur, debout sur une pierre, haranguait la foule, un pichet dans une main, un godet dans l'autre.

— Oyez, oyez, bonnes gens, ce vin-là est du meilleur ! Venez goûter notre vin de Provins ! Oyez, oyez ! criait-il. Les tonneaux sont en perce ! Oyez !

Les passants écoutaient, faisaient des commentaires. La plupart entraient dans la salle basse où brûlait un bon feu. Un homme jouait du rebec au fond de la pièce, les clients buvaient debout près des tonneaux, quelques tables étaient vides.

— Messire de Tarse ! les héla une voix à l'accent du Sud.

Hugues se retourna lentement. Devant lui, un sourire sur ses lèvres minces, se tenait Bartolomeo d'Avellino. Le chevalier noir s'inclina devant l'Oriental qui ne bougea ni ne dit mot.

— Vous ne me présentez pas votre jeune compagnon ? insista d'Avellino en détaillant Tancrède qui avait rejoint son maître.

— Ce n'est que mon écuyer. Je vous espérais mort, Bartolomeo.

— Je n'ai pas payé ma dette envers vous, sire de Tarse, je ne peux donc mourir que de votre main.

— Je n'ai pas l'habitude de reprendre ce que j'ai donné ! répliqua Hugues.

— L'honneur vous perdra, messire ! Je pense que vous savez que nous naviguons de conserve. Ce sera un plaisir de vous revoir aux escales et encore plus de poser le pied en Sicile à vos côtés. Bien le bonsoir.

Et l'homme s'éloigna, disparaissant bientôt dans la foule des passants et des pêcheurs. Hugues resta un moment immobile.

— Voilà donc Bartolomeo d'Avellino, déclara Tancrède. Je suis heureux d'avoir enfin vu son visage de près. Quand je pense à nos poursuites dans les dunes de Pirou ! Mais pourquoi avez-vous dit que j'étais votre écuyer ?

117

— Laissons cela, voulez-vous ? Je crois que, lui aussi, voulait vous examiner de près. Où est notre ami Bjorn ?

— Parti à l'intérieur chercher une table libre. L'auberge est pleine.

— Alors allons-y.

Ils rejoignirent le géant blond qui les attendait, à l'écart des buveurs. Une fois les pichets de vin posés devant eux avec une assiette de jambon sec, ils burent une rasade.

Bjorn fit la grimace.

— J'en ai goûté de meilleur. Bon, je vous écoute, messire. Mais il faut faire vite, nous n'allons pas tarder à repartir.

Hugues, qui n'avait fait que tremper ses lèvres dans le vin aigre, commença :

— Il s'est passé bien des choses après votre départ du château, Bjorn. Tancrède a trouvé le corps de Ranulphe, le mari de Mu...

— Je sais qui est Ranulphe, le coupa Bjorn.

Hugues s'en voulut d'avoir aussi maladroitement évoqué celle que le pêcheur avait aimée plus que tout : Muriel, épouse de Ranulphe de l'Épine.

— Le sire de Pirou a pensé, pendant un temps, que vous étiez le meurtrier.

— J'aurais pu l'être, répondit tranquillement le marin.

— Nous avons trouvé le coupable, c'était le jeune Mauger.

Le visage de Bjorn s'assombrit davantage, un tremblement dont il parut ne pas avoir conscience agitait ses mains.

— Il lui ressemblait, et la petite plus encore, murmura-t-il.

— C'est vrai.

— Mais ce n'est pas pour cela que vous vouliez me parler.

— Tancrède vous a dit que Sven était mort.

— Oui. Sven était un brave homme, il m'a recueilli à la mort de ma mère et m'a élevé. Je lui dois beaucoup.

— Avant de mourir, il a eu le temps de parler et de nous confier certaines choses sur votre naissance.

Bjorn se troubla.

— Que voulez-vous dire ? Il avait même oublié le nom de ma mère ! Sven était déjà vieux quand il m'a adopté, alors quand j'ai été en âge de lui poser des questions…

— Il savait, tout au contraire, mais n'osait vous le dévoiler. Bien des fois, ces dernières années, il a failli vous parler et à chaque fois il a renoncé.

L'homme haussa les épaules.

— Mais pourquoi, et de toute façon, qu'y avait-il à savoir ? Je suis ce que je suis. Un homme de mer, un pêcheur, un marin.

— Non, fit doucement Hugues, vous êtes plus que cela.

Tancrède sentit qu'un grand combat se faisait dans l'esprit de Bjorn qui s'agita sur son banc et dont les poings s'étaient serrés.

Il ne put s'empêcher de penser qu'il y avait une singulière fraternité entre eux, née du fait qu'ils ne savaient ni l'un ni l'autre d'où ils venaient. Pourtant, Bjorn semblait plus assuré que lui. Il aurait aimé pouvoir dire : « Je suis ce que je suis », comme l'autre venait de le faire.

La voix d'Hugues le ramena à leur conversation.

— Ne voulez-vous pas savoir le prénom de votre mère ? demandait-il.

— Je vous écoute.

— Elle s'appelait Sibylle. Je veux vous raconter tout ce que je sais et aussi ce qui s'est passé cet hiver. Votre mère était une jeune lavandière que votre père adoptif, Sven, aimait en secret. Elle fut engrossée un soir de beuverie par le seigneur du village, le sire de Karetot, dont vous êtes le fils.

Le tremblement des mains du marin avait cessé et son regard s'était durci.

— Le seigneur de Karetot avait deux fils et trois filles de sa femme légitime, il ne s'est jamais soucié de vous jusqu'à cet hiver…

Tancrède, qui croyait tout connaître de l'histoire de Bjorn, s'étonna. Qu'avait-il donc bien pu se passer qu'il ignorait pendant leur séjour chez d'Aubigny ?

Bjorn, quant à lui, ne paraissait plus prêter attention aux paroles de l'Oriental. Pensait-il à sa jeune mère morte à sa naissance ? À la violence qui l'avait engendré ? À la mort du vieux Sven ?

Hugues s'était tourné vers son protégé.

— Cet hiver, souvenez-vous, je suis parti plusieurs jours avec d'Aubigny. Nous sommes allés à Karetot. D'Aubigny venait de m'apprendre – il semble tout savoir sur tout dans cette partie du Cotentin – que le fils aîné de Karetot était mort à la chasse au sanglier.

Bjorn avait relevé la tête et écoutait.

— Nous avons décidé, poursuivit l'Oriental, de lui rendre visite et c'est un homme ravagé que nous avons rencontré. Le froid de ce terrible hiver venait de lui enlever son second et dernier fils ainsi que sa fille aînée et sa femme. Nous avons passé une nuit chez lui.

Hugues fouilla dans la sacoche qui ne le quittait jamais et en sortit un parchemin roulé et cacheté qu'il tendit au pêcheur.

— Même si c'est trop tard pour votre mère, le sire de Karetot l'a reconnue comme sa *frilla*. C'est une union *more danico*. Vous acquérez ainsi une forme de légitimité et il vous autorise également dans ce papier à porter son nom. Dorénavant, vous êtes Bjorn… de Karetot.

— Bjorn de Karetot, répéta le jeune géant sans toucher le papier qu'Hugues avait posé devant lui. C'est donc ce sang-là qui faisait de moi un homme si différent des autres. Est-ce aussi à cause de cela que Muriel et moi… Mais pourquoi avez-vous fait tout ça ? Pourquoi vous être soucié de moi ?

— Nous avons appris à apprécier l'homme que vous étiez et frère Baptiste, l'aumônier qui nous a longuement parlé de vous, n'a fait que renforcer ce sentiment.

— Le château de Pirou, frère Baptiste, Serlon, Muriel. Tout cela est si loin !

La voix de l'homme s'était étranglée sur le dernier prénom.

— Vous avez été suffisamment éprouvé, déclara Hugues. Il est juste que le vent tourne. Vous êtes fils de seigneur, Bjorn.

L'homme vida le reste de son pichet et le reposa avec brusquerie sur la table.

— Oh, non ! protesta-t-il. Être le fils d'un homme sans honneur qui a violé ma mère ! Je suis rameur à bord du knörr et Sven était mon père. Pour le reste, je dois réfléchir. L'on ne peut, devant un pichet dans une auberge, après trente ans de vie, décider que l'on est un autre.

— Vous êtes un homme sage, Bjorn. Réfléchissez, mais prenez ce parchemin et gardez-le précieusement. Même si je comprends votre réaction, qui vous honore, demain, il pourrait vous servir.

Les doigts de l'homme se refermèrent sur le papier. Il hésita, faillit dire quelque chose puis se leva.

— Merci.

Il sortit.

Tancrède suivit sa haute silhouette du regard.

— Il est fier et droit comme une lame ! fit-il. Pourquoi ne pas m'avoir parlé de cette visite à Karetot ?

— Cela s'est passé de façon étrange, entre deux vagues de froid où ni vous ni moi n'avons guère eu le temps de faire autre chose que soigner de pauvres gens qui se mouraient. Au hasard d'une conversation sur la chasse avec d'Aubigny, il m'a parlé de la mort du fils aîné de Karetot et du fait qu'il devait lui rendre visite à propos d'un laboureur qui s'était plaint de lui. Je l'ai accompagné.

— Karetot était son vassal ?

— Oui, un vassal qu'il n'aimait guère.

— Je ne sais si Bjorn acceptera jamais de porter ce nom.

— Au moins, il sait qu'il peut le faire et justice lui a été rendue.

— Et ce sire de Karetot, comment était-il vraiment ?

— Un porc… Un homme qui se conduit comme il l'a fait avec ses gens n'est rien d'autre. En fait, il a fallu toute l'autorité de d'Aubigny, ma persuasion et une bourse de bel et bon argent sonnant et trébuchant pour qu'il accepte de signer ce papier.

— Vous l'avez payé !

— C'est, je crois, ce qui l'a décidé. Les toitures du château étaient à refaire, il s'est ruiné tant il a passé de temps en beuveries et coucheries de toutes sortes. Alors un peu d'argent frais n'était pas à dédaigner. Et puis, je lui ai fait valoir qu'il ne reverrait certainement jamais Bjorn. De toute façon, en le quittant, nous avons croisé une femme qu'il nous a présentée comme sa future et elle était déjà grosse…

— Vous avez bien fait de taire tout cela à Bjorn. Qu'il garde l'image d'un père qui, au moins, regrette la mort des siens.

Hugues hocha la tête. Il observa son protégé en silence, remarquant les cernes noirs qui entouraient ses yeux, la mélancolie de son regard, le pli amer de sa bouche.

— Vous ne vous êtes guère confié à moi ces derniers temps, remarqua-t-il avec douceur.

— C'est vrai, approuva le jeune homme. Je ne sais plus ce que je désire vraiment et je n'ai pas la force de caractère de Bjorn. Je ne peux pas dire que je me contente d'être qui je suis. J'ai juste l'impression d'être un arbre sans racines.

— Bjorn a plus de trente ans. Il ne peut réagir comme vous qui n'en avez que dix-neuf.

— Je ne sais pas si l'âge joue tant que cela. Mais vous trouvez toujours les mots qu'il faut, n'est-ce pas ?

— Ne soyez pas dur, protesta Hugues.

— Me direz-vous toute la vérité ? Je ne veux pas que vous m'épargniez, si mon père est…

— Vous saurez tout. Je vous en fais serment. Je n'ai épargné Bjorn que parce que je sens qu'il ne reviendra jamais sur ses pas et que mon silence ne peut lui nuire. Ce qui n'est pas votre cas. J'ai fait de mon mieux avec vous et ne mérite ni votre colère ni votre mépris.

À ces mots, Tancrède eut un sursaut de remords. Il saisit la main de son maître et murmura :

— Pardonnez-moi.

25

— Mais pourquoi vous voulez aller par là ? demanda le garçonnet qui en avait assez de suivre la silhouette encapuchonnée. Vous êtes drôle, tout de même. D'abord vous m'offrez à manger et puis après, plus rien. Plus moyen de vous arracher un mot !

L'autre se retourna :

— Tu m'as bien dit qu'il y avait des jardins de ce côté ?

— Oui.

— Je dois acheter des légumes frais.

— Ah ben, fallait le dire au lieu de filer comme un rat qu'a un chien à ses trousses ! Venez alors, j'connais une femme qui en vend. C'est pas loin d'ici, et pas cher.

Le gamin allait repartir, l'autre le rattrapa par la manche.

— Attends, attends ! Je suis point si pressé que ça. Pardonne-moi, j'étais préoccupé. Veux-tu un autre beignet ? fit l'autre en ouvrant un sac de tissu empli de friandises.

— C'est pas de refus ! dit le gamin en saisissant une boule de pâte recouverte de miel doré. C'est pas tous les jours que j'en mange des comme ça. Mais dites donc, c'est pas votre bateau qu'on entend ?

Le gamin s'était arrêté, dressant l'oreille. Au loin, derrière les maisons, résonnait l'appel lointain d'une corne.

— C'est pas pour vous, des fois ? répéta-t-il. Hé ! Je vous parle !

L'autre, qui était comme perdu dans la contemplation du garçonnet, parut revenir à lui.

— Que dis-tu ?

— Écoutez ! La trompe ! Quand y sonnent comme ça, c'est qu'y vont bientôt partir.

L'autre ne répondit pas, son visage s'était crispé, ses poings s'étaient serrés. Un nouvel appel, impératif, cette fois.

Le gamin avait raison, ils allaient partir. Il devait renoncer à cet enfant à figure d'ange qui l'avait abordé sur le port, lui demandant s'il avait besoin d'aide, s'il pouvait lui faire visiter sa ville.

De dépit, il envoya le garçonnet rouler à terre et s'enfuit sans remarquer la silhouette silencieuse de Tara qui était apparue derrière lui et le fixait de ses yeux vairons.

L'animal hésita, humant l'air dans la direction où avait disparu l'homme, puis d'un coup, il obliqua dans une ruelle, sauta par-dessus une palissade et, filant plus vite que le vent, déboula sur le port.

26

L'appel rauque des trompes continuait à retentir. Les passagers arrivaient en courant, se bousculant avec les marins en bordée pour embarquer. Hugues et Tancrède pressaient le pas, quand une silhouette encapuchonnée sortant d'une ruelle voisine les percuta.

— Ah, ça, messire, je vais finir par croire que vous m'en voulez ! s'exclama Eleonor en frottant son bras endolori.

— Vous ! Je... s'écria Hugues. Je ne vous ai pas fait mal ?

— Non, ça va.

Elle regarda autour d'elle avec inquiétude.

— Je cherche après mon chien. Vous ne l'avez pas vu ? Il est parti d'un coup à travers la foule, et je n'ai pu le retenir. Et puis, alors que je m'enfonçais dans les ruelles à sa recherche, j'ai entendu l'appel du bateau.

Eleonor arrangea les lourdes boucles noires de son chignon et remit sa capuche en place. Tancrède la regardait fixement.

— Tancrède !

Le jeune homme sursauta.

— Euh… Oui ?

— On va courir. Il faut regagner le navire, ou ils vont partir sans nous.

— Mais mon chien ! protesta Eleonor. Je ne peux pas le laisser ici, j'ai promis au prévôt…

Hugues saisit fermement l'une des mains de la jeune femme dans la sienne.

— Prenez l'autre, Tancrède ! ordonna-t-il.

Et ils partirent en courant, l'entraînant vers le quai malgré ses cris. Soudain retentit un bref aboiement. Tara les avait rattrapés et les dépassa en quelques souples foulées. L'animal sauta sur le pont, puis, les pattes sur le plat-bord, les encouragea d'un nouvel aboiement. Arrivés au pied de la passerelle, les deux amis lâchèrent la jeune fille qui essaya de reprendre son souffle.

— Pardon encore de vous avoir bousculée, fit Hugues en s'inclinant devant elle.

— Pour dire le vrai, je ne sais qui a bousculé l'autre, avoua Eleonor en riant.

Le capitaine Corato la héla.

— Montez, damoiselle ! Les marées n'attendent pas.

— Il a raison, allez-y. Et… Prenez garde à vous, damoiselle.

La jeune femme, qui était à mi-chemin sur la passerelle, fixa l'Oriental de son regard bleu.

— Merci de vous soucier de moi, messire. Mais le prévôt a pourvu à ma défense en me donnant son chien et n'oubliez pas que je suis fille de chevalier. À vous revoir, fit-elle en grimpant lestement à bord.

Une fois sur le pont de l'esnèque, Tancrède, qui n'avait pas quitté des yeux la mince silhouette, remarqua :

— Voilà donc la mystérieuse jeune fille de l'auberge de Barfleur ! Celle qui doit épouser ce seigneur qu'elle ne connaît pas. Et dire que vous avez failli entrer dans sa chambre ! Vous ne m'aviez pas dit qu'elle était si jolie.

— Je n'ai rien dit et je ne suis pas entré dans sa chambre.

— C'est vrai. Mais tout de même, insista le jeune homme, elle est vraiment jolie.

Hugues ne répondit pas. Il fixait le knörr et ce n'était plus la femme qu'il regardait, mais l'homme qui s'était dressé à côté d'elle et lui parlait. Un homme dont Tancrède reconnut immédiatement la silhouette.

— Encore ce d'Avellino. Mais que fait-il avec la damoiselle de Fierville ?

— Ils ont l'air de se connaître.

— Vous croyez vraiment qu'il est là pour nous ?

— Je ne crois pas au hasard. Encore moins avec celui-là.

— De toute façon, comme nous sommes sur des bateaux différents, il lui sera malaisé de nous nuire.

— Ne le sous-estimez pas. Je repensais à la bourse garnie de deniers de Provins qui a payé les marauds de Barfleur. Il n'est pas impossible qu'elle lui ait appartenu.

— Il s'est passé tant de choses depuis que tout cela me semble loin, et sans réelle importance. Vous croyez qu'il aurait payé des gens pour nous tuer ?

— Moi, je n'ai pas oublié et, quoi qu'il arrive, méfiez-vous toujours de Bartolomeo, c'est un serpent. Il en a le charme et le venin. Un jour, il vous baise la main, le suivant, il vous la tranche !

126

27

À peine à bord, la jeune fille avait été abordée par le chevalier qui se présenta en s'inclinant très bas devant elle.

— Bartolomeo d'Avellino, damoiselle. Puis-je vous parler ?

Eleonor se dit qu'elle allait enfin en savoir plus sur ce singulier personnage. Il semblait si différent des autres qu'elle avait pris tout son temps pour l'examiner la veille au soir aux Ecrehou. Il ne buvait pas, mangeait frugalement et se tenait à l'écart, ne parlant à personne. Mince et brun, il portait sous son ample cape une cotte de mailles ainsi qu'une épée et un long poignard. Les traits creusés par la fatigue, les yeux noirs enfoncés dans leurs orbites, il semblait en proie à quelque tourment que rien ne pouvait apaiser. Un homme à mi-chemin entre le guerrier et le moine, s'était-elle dit alors.

— Pardonnez-moi, damoiselle, ajouta-t-il avant qu'elle ne puisse lui répondre. Je voulais réparer une injure que je vous ai faite.

— Une injure ! Le mot est fort. Que voulez-vous dire ? fit-elle en caressant l'encolure du grand chien qui, après sa fugue à Saint-Hélier, semblait si heureux de la retrouver qu'il manifestait son contentement en se frottant contre elle.

— L'autre jour, alors que nous quittions Barfleur, maître Giovanni m'a présenté à la cantonade. Je venais d'arriver à bord et j'avoue que je n'avais guère envie de saluer qui que ce soit.

— Oh, ce n'est que cela !

— Non, c'est davantage. Je suis, damoiselle, bien plus coupable que vous ne le pensez.

L'homme se tut. Le pèlerin rôdait autour d'eux, la regardant à la dérobée, et son manège énerva Eleonor qui proposa au chevalier de la suivre sur le château avant. Ils se retrouvèrent bientôt debout près de la vigie qui suivait les mouvements de l'esnèque et guidait la marche du navire vers la haute mer.

La jeune fille se tourna vers le chevalier.

— Je vous écoute, fit-elle.

— Cet homme vous importune ? fit-il en désignant le pèlerin qui avait regagné le dortoir.

— Oh, pas vraiment ! Il a de singulières manières, voilà tout, et sa compagnie, je l'avoue, me déplaît.

— Je vois que vous avez un solide gardien, mais n'hésitez pas, damoiselle, à avoir recours à mon bras.

— Merci, chevalier.

— Giovanni m'a appris qui vous étiez.

— Oui, je n'en ai pas fait mystère. Vous êtes beaucoup plus secret que moi.

— C'est vrai. Le reproche est mérité. Laissez-moi me présenter et vous comprendrez mieux pourquoi je me suis permis de vous aborder.

— Allez-y, répondit Eleonor que le personnage intriguait de plus en plus.

— Mon nom est Bartolomeo d'Avellino. Je suis né dans l'ancienne principauté du Bénévent. Je vis en Sicile après avoir longtemps été le confident d'un ermite, Guillaume de Verceil.

— Je crois que j'ai entendu parler de lui : il a fondé plusieurs monastères, n'est-ce pas ?

— Oui. Il préférait vivre en ermite, mais son succès le rattrapait toujours. Un homme partagé entre l'ascétisme et la guerre. Il ne se séparait jamais de son casque ni de sa cuirasse.

— Comme vous, messire d'Avellino.

— C'est vrai, damoiselle. En dehors de l'amour, bien sûr, la religion et la guerre sont les deux seules choses qui valent la peine d'être vécues.

— Mais vous disiez que maintenant vous habitiez la Sicile.

— Oui, damoiselle, j'ai le grand privilège d'être un proche de Guillaume Ier et aussi d'être depuis de nombreuses années l'ami de Sylvestre de Marsico.

— Oh ! Mon Dieu ! s'exclama Eleonor que cette révélation troubla plus qu'elle ne s'y attendait. Vous connaissez mon promis, messire ?

— Oui, damoiselle. C'est pour cela que j'ai beaucoup à me faire pardonner. Quand j'ai appris que vous étiez la future dame de Marsico...

— Ce n'est pas grave, fit-elle avec un grand sourire.

Eleonor sentit le poids qui pesait sur sa poitrine s'envoler. Enfin quelqu'un allait lui parler de son futur mari. Elle saurait s'il était jeune ou vieux, vaillant ou lâche, beau ou laid... Toutes ces questions qu'elle se posait sans y trouver réponse. Et puis, peut-être oserait-elle lui demander quelle était la couleur de ses yeux et celle de ses cheveux... Non, elle n'oserait pas. Que penserait-il d'elle ? Qu'elle était futile ? Une autre fois, peut-être...

— À quoi pensez-vous, damoiselle ? demanda le chevalier.

— Simplement que je vous sais gré de m'avoir parlé. Quand avez-vous vu le seigneur de Marsico pour la dernière fois ?

— L'an dernier, nous sommes allés ensemble dans les Pouilles.

— J'ai tant de questions à vous poser que je ne sais par laquelle commencer.

— Alors, laissez-moi vous parler de celui qui est devenu l'un des plus proches conseillers du roi de Sicile. C'est un homme avisé, que tous admirent et respectent. Il parle, comme la plupart des barons, plusieurs langues, mais lui seul sait les manier avec tant de finesse, passant de l'arabe à l'hébreu et même au grec, avec le talent d'un poète.

Les yeux de la jeune femme s'étaient arrondis d'éton-nement. Elle buvait les paroles du chevalier. Enfin, ce dernier se tut et elle parut revenir à elle.

— Merci, fit-elle.

— Je ne vais pas vous importuner davantage, permet-tez-moi de me retirer. Que Dieu vous garde, damoiselle de Fierville.

— De vous retir... Oui, bien sûr, messire d'Avellino. À vous revoir.

Et Eleonor rendit son salut au chevalier, tout en son-geant que son éducation au manoir familial ne l'avait guère préparée à tout ça. Il y avait chez cet homme étrange, tout comme chez le sire de Tarse, une douceur tout orientale, un goût pour la musique des mots, les manières et les salutations. Elle haussa les épaules, se moquant d'elle-même. Il y avait des choses plus difficiles à apprendre.

D'Avellino avait regagné le pont. Elle suivait d'un regard pensif la silhouette qui s'éloignait quand elle se sentit heurtée.

Deux gamins avaient surgi de la cambuse, poursuivant un matou blanc et noir. Le chat serrait dans sa gueule un énorme poisson. Le trio s'arrêta net devant Tara qui, le poil hérissé, poussa un sourd grondement. Pendant un moment, plus personne ne bougea. Puis, avec un feule-ment de dépit, le chat déposa le poisson devant lui.

— Ne bouge pas ! ordonna Eleonor.

Sans quitter le chat des yeux, le chien s'assit sur son arrière-train. Alors, très digne, le matou fit demi-tour, lentement, et d'un coup il accéléra, se jetant sous les bancs de nage. L'un des mousses, un blondinet au regard clair, fixait le chien, il recula et s'enfuit malgré les appels de son compagnon.

— Y va pas me sauter dessus au moins ? demanda l'autre, un solide rouquin.

— Non. Je te le promets.

— Je peux le ramasser ?

— Vas-y.

Le gamin se baissa et inspecta le poisson.

— Merci, damoiselle ! s'exclama-t-il en se relevant avec son butin. Il est même pas abîmé. Grimoire, y a pas à dire, c'est un soigneux. Grimoire, c'est le nom du chat. Paraît qu'avant, il appartenait à un clerc du nom d'Hugo. C'est vrai que quand y tue, il le fait bien. C'est toujours propre. Des fois y m'aligne des rats au pied de ma couchette. Tous dans le même sens, les queues d'un côté, les têtes de l'autre. J'aime point la chair des rats, mais bon…

Eleonor s'était approchée du garçonnet qui continuait :

— Le cuisinier m'aurait découpé en morceaux si je n'avais pas récupéré son poisson. Et puis j'aime bien Grimoire, même s'il exagère. Le cuistot m'avait prévenu : « T'es responsable de ce que t'apprivoises ! » qu'il m'a dit. C'est un sage, not' cuistot ! Mais voilà-t-y pas que depuis que j'ai amadoué le chat, y me quitte plus et il a toujours le nez dans mon écuelle à choisir sa part avant que je puisse y planter ma cuillère !

Eleonor sourit.

— Comment t'appelles-tu ?

— Moi, c'est Bertil, damoiselle, et l'autre, le froussard, c'est P'tit Jean. Mais faut pas lui en vouloir, il est plus jeune que moi.

Le gamin bomba le torse.

— Il me semble avoir aperçu un troisième mousse.

— Ah oui, c'est le Bigorneau ! Mais lui, c'est pas un mousse, c'est un souffre-douleur. Y comprend rien à rien, alors tout le monde lui tape dessus. Et puis, comme son ouvrage est toujours de travers, on lui donne que les déchets à manger. J'aimerais pas être à sa place mais du coup, faut reconnaître, les marins qu'ont la main leste, savez, y nous fichent la paix à P'tit Jean et à moi.

— Et tu viens d'où, Bertil ?

— De la ferme des Roches, dans les hauts de Barfleur.

— Tu n'es guère vieux pour quitter ta ferme et t'embarquer ainsi.

— Ah, pardon, bien assez pour savoir ce que je veux, avec vot' respect, damoiselle. Je voulais une gamelle pleine et c'est vrai que je préfère partager mon écuelle avec Grimoire et P'tit Jean qu'avec mes douze frères et sœurs ! Surtout que ma mère, elle était encore grosse. J'y ai gagné, croyez pas ?

UN NAVIRE VERT PÂLE

28

Tancrède songea que le temps en mer passait de façon singulière, parfois avec lenteur, parfois vite quand le vent était portant et la mer bonne.

Depuis leur escale à Jersey, les jours avaient filé comme le sable dans les sabliers de quart. Une semaine ou davantage s'était écoulée, il ne le savait pas et se reprochait de n'avoir pas entaillé chaque matin un morceau de bois pour y laisser la trace des jours.

Ils avaient longé les côtes déchiquetées de la Bretagne, dépassé le Finis terrae – le « bout du monde » des Bretons – et l'embouchure de la Loire.

La mer avait changé de couleur, les côtes s'étaient adoucies, mais il y avait toujours autant de récifs.

Le jeune homme ramait chaque jour, trouvant dans cette rude tâche une occupation qui lui évitait de penser. Il était si fatigué parfois qu'il s'effondrait sur sa paillasse et s'endormait d'un coup comme une bête de somme.

Souvent aussi, aux escales sur les grèves ou dans les embouchures des fleuves, Giovanni venait le rejoindre avec une gourde d'hydromel ou une jarre de vin. Dans ces moments-là, Hugues les abandonnait. Le Lombard parlait des auteurs grecs, des femmes, de Syracuse et encore des femmes. Le plus souvent, Tancrède l'écoutait en taillant de son coutel les bois flottés ramassés ici et là. Parfois aussi, Dreu, le jeune moine de Savigny, venait les rejoindre. Silencieux et taciturne, il préférait se taire mais parfois, alors que Giovanni citait Anaximandre, Homère ou Hésiode, il prenait la parole, discutant avec chaleur de son art, des manuscrits anciens et de la vie au scriptorium. Au fil des jours, Dreu oubliait la règle de son monastère. Il mangeait et buvait comme les marins sans en avoir l'habitude. Il s'effondrait ensuite d'un coup et ronflait, ce qui mettait en joie ses compagnons.

Ce matin-là, la mer était agitée et le pilote ne quittait plus l'étrave. Ils louvoyaient à la rame au large des écueils, se glissant dans certains courants, en évitant d'autres trop dangereux ou trop rapides. Les courants « malins », comme les appelait le Breton, ceux qui vous drossent contre les falaises. Le navire de charge les suivait tant bien que mal. Sa silhouette trapue montait et descendait à la vague.

Sur un ordre de Knut, Tancrède remplaça un des rameurs et se glissa sur le banc, non loin de Magnus le Noir et de ses guerriers. Ni Hugues ni lui n'avaient, depuis le début de leur voyage, échangé une seule parole avec ces hommes rudes qui vivaient entre eux et, tout en prenant part aux manœuvres et en assumant les tours de veille, campaient à l'écart.

Seul Magnus s'entretenait parfois avec le stirman et le maître de la hache, qui lui témoignaient d'ailleurs le plus grand respect.

Les premiers paquets de mer surprirent Tancrède. L'eau glacée le trempa de la tête aux pieds, le faisant sortir brutalement d'une rêverie où Anouche le regardait sans mot dire. Il avait souvent, depuis que Hugues lui avait parlé d'elle, de ces rêves éveillés où il la retrouvait. Il se secoua. La trompe de Knut résonnait. Le rythme de nage changeait. Imitant ses compagnons, il se pencha sur le bois, souquant plus vite et plus fort.

Au-dessus d'eux, la girouette s'affolait et le ciel avait viré au noir. Un noir de ténèbres où planaient les ailes blanches des albatros dont les cris se perdaient dans les mugissements du vent.

136

À l'avant, le pilote breton lançait ses ordres.

— Où sommes-nous, Pique la Lune ? demanda Knut qui venait d'apparaître à ses côtés.

— On a dépassé depuis un moment la pointe du Payré et le feu du château de Talmont ! s'écria le pilote, dont la voix était elle aussi couverte par le fracas de la tempête. La mer veut plus de nous, Knut. Elle prépare sa colère. Faut qu'on s'abrite, et vite !

— On gagne le large ?

— Non, pas cette fois ! On aura pas le temps et puis, au large, ça va être rude. C'est pas une tempête comme les autres. Il faut dépasser la pointe de l'Aiguillon et s'enfoncer dans l'embouchure de la Sèvre le plus loin qu'on pourra. On mouillera à l'abbaye de Maillezais. Fais abattre la voile et accélérer la cadence.

— Je l'ai déjà fait, protesta Knut avec un regard pour ses rameurs qu'éclaboussaient des paquets d'eau de mer. Ils vont fort.

— Si tu veux pas qu'ils continuent à ramer par le fond avec les sirènes, fais accélérer la cadence ! hurla le Breton qu'une bourrasque fit vaciller sur ses jambes.

— Et le knörr ?

— Corato suivra. Il faut qu'il suive ! Ou il est perdu.

Sans insister, le maître de la hache retourna au milieu de ses marins et cria ses ordres. Enfin, il rejoignit l'homme du gouvernail à qui il expliqua la manœuvre. Le stirman hocha la tête et poussa la barre du lourd gouvernail vers l'avant pour que le navire file à bâbord vers la côte. Sur le pont, les rameurs souquaient ferme.

Bien qu'il fût trempé, Tancrède transpirait sous l'effort, enrageant de voir Magnus soutenir les changements de cadence sans effort apparent. Le géant se penchait sur sa rame et se relevait, lançant de temps à autre un ordre bref à ses guerriers.

Tancrède, malgré le terrible récit de son maître sur la bataille de Venosa, ne pouvait se défaire d'une sourde admiration pour ces hommes que rien ne semblait jamais faire dévier de leur but. Il songea à ce que lui avait dit Hugues, un jour qu'il le questionnait sur l'énigmatique chef de guerre : « C'est le fils déchu d'un jarl. Une sorte de prince. Tout comme ses guerriers, il vient des îles Orcades, au nord de l'Écosse. »

Il serra les dents et s'absorba dans le nouveau rythme donné par Knut :

— Un, deux, trois, poussez, quatre !

« Un, deux, trois, poussez, quatre ! » se répétait-il. Malgré l'eau qui ruisselait, se prenant dans ses cils, il voyait une enfilade de dos courbés devant lui. Le mugissement du vent sur le pont, les claquements de la grand-voile, le grincement des cordages, tout l'assourdissait. L'esnèque glissait, se jouait des vagues, mais ils prenaient de plus en plus l'eau. La voile fut bientôt affalée, des marins écopaient. La cadence s'intensifia encore.

Cela rappelait à Tancrède les courses d'endurance que lui faisait faire son maître. Ces moments où il fallait se fondre dans l'effort, ne surtout pas se demander si on allait tenir, ni quand cela allait s'arrêter. Juste avancer, mettre un pied devant l'autre, aller au bout de soi-même. Coûte que coûte.

Les rameurs chantaient en norrois une mélopée que Tancrède reprit sans bien en comprendre les paroles, il brailla comme les autres et tenta de couvrir de sa voix le sifflement du vent. Il se sentait plus fort et ne faisait qu'un avec son aviron. Knut, qui passait dans l'allée, les encourageait. Entre deux paquets de mer, Tancrède apercevait la silhouette trapue du stirman à l'arrière, et celle d'Hugues dressée à ses côtés, l'aidant dans la manœuvre.

Un roulement de tonnerre retentit et un long éclair blanc traversa le ciel. Le navire embarqua une lame qui les submergea. Tancrède ferma les yeux et appuya plus fort sur le bois, une brève prière montant à ses lèvres.

29

Encouragés par les hurlements du capitaine, les marins essayaient de redresser le knörr. Trop lourd, le navire marchand n'arrivait plus à faire face à la lame. Les sautes de vent faisaient claquer la grand-voile. La coque grinçait. Au milieu du dortoir, les mains jointes, agenouillé dans une eau glacée, frère Dreu priait. D'Avellino et maître Richard faisaient les cent pas, obéissant à contrecœur à la demande de Giovanni qui avait demandé à ses passagers de rester dans le château arrière. Eleonor, cramponnée au chambranle, voyait avec effarement les vagues balayer le pont et déferler sur les rameurs.

— Retournez dans votre cabine, damoiselle ! la supplia le vieux Gautier qui se tenait derrière elle. Vous êtes trempée, vous allez m'attraper la mort !

Elle fit non de la tête, resserrant son manteau autour d'elle et le vieux serviteur, persuadé qu'ils allaient bientôt mourir, retourna se jeter dans son branle pour se cacher en gémissant sous ses couvertures.

Aidé de Bertil et du Bigorneau, le cuisinier écopait l'eau de la cale.

L'œil fixé sur l'esnèque, détrempé par les vagues qui escaladaient le château arrière, Corato tenait bon le gouvernail, Giovanni à ses côtés. Loin devant, le navire de combat avait descendu sa toile et ses rameurs accéléraient la cadence. Plus rapide, il se rapprochait de la côte et de l'embouchure du fleuve.

Un bruit de déchirure fit sursauter Eleonor. La grand-voile s'était fendue d'un coup, les betas avaient roulé sur le pont. Le mât bougeait dans la calengue avec d'horribles grincements.

— Affalez ! Affalez ! hurla le capitaine.

La trompe sonna, couvrant le bruit de la tempête. Corato se tourna vers le Lombard.

— Dites aux rameurs d'accélérer la cadence, sinon on est perdus ! Et descendez-moi cette toile ! On va finir par le fond !

Le Lombard dégringola l'escalier et rejoignit le pont, encourageant les hommes qui se précipitèrent pour défaire les cordages. Une bourrasque plus forte que les autres acheva de déchirer la voile et, avec un craquement sinistre, la vergue se rompit, tombant de toute sa hauteur sur les rameurs. Des cris retentirent.

Le knörr partait par le travers, d'énormes vagues cognant le pont avec un bruit d'enfer.

D'Avellino, Dreu et le pèlerin aidèrent les rameurs à dégager les restes de la voile et le lourd morceau de vergue tombé en travers des bancs. Un des marins, la jambe brisée, une esquille de bois, grosse comme un poignard, plantée dans la cuisse, hurlait de douleur, dressé comme un dément au milieu des débris.

Là-haut, Corato, qui voyait le navire se précipiter vers les récifs, ordonnait de reprendre la cadence. Tant bien que mal les hommes s'étaient remis aux avirons. Maître Richard et d'Avellino s'étaient glissés sur les bancs de nage et souquaient sur le bois avec les autres. S'accrochant à ce qu'elle pouvait, Eleonor rejoignit Bjorn qui avait empoigné le marin blessé et, malgré ses plaintes, le tirait à l'abri des lames.

— Restez pas là, damoiselle ! lui cria le géant blond.

Le navire se redressait lentement et reprenait sa route vers la côte.

Arrivé dans le dortoir, Bjorn essaya d'allonger le marin sur une des paillasses, mais l'homme se débattait. Il l'assomma d'un coup de poing au menton.

— Comme cela, fit-il en voyant le regard stupéfait de la jeune femme, on n'aura pas besoin de le maintenir. Ça ira ?

Elle fixait le corps inerte, la pointe de bois fichée dans la cuisse d'où giclait le sang, la jambe formant un angle singulier avec le corps. L'eau montait insensiblement dans le dortoir, elle en avait maintenant jusqu'aux chevilles.

Bjorn avait défait la ceinture de corde qu'il portait à la taille et l'avait rapidement nouée autour de la cuisse de l'homme. Il se souvenait des leçons de frère Baptiste, l'aumônier de Pirou.

— Oui… Il le faudra bien.

— Vous êtes prête, damoiselle ?

— Euh, je… Oui !

Bjorn arracha d'un coup sec le morceau de bois. Malgré le garrot, le sang gicla de nouveau.

— Il faudra le nettoyer, le cautériser si vous pouvez et retirer le garrot dès qu'il sera bandé, sinon il perdra sa jambe.

— Oui, ça ira, fit Eleonor d'un ton plus ferme en posant ses paumes sur la plaie et en pressant de toutes ses forces.

Une fois le géant blond sorti, la jeune femme regarda autour d'elle et cria :

— Gautier !

Le serviteur sortit sa tête de sous ses couvertures.

— Viens ici, et vite !

— Mais j'vais jamais pouvoir marcher… Regardez comme ça roule ! Puis, y a d'l'eau partout.

La cabine était sens dessus dessous. Tout ce qui n'était pas arrimé flottait dans l'eau salée. Le grand chien était debout dans un coin, le chat arqué sur une paillasse non loin de lui et, pour une fois, ils s'ignoraient, faisant une trêve implicite, trop occupés l'un et l'autre à surveiller le niveau de l'eau et à garder leur équilibre.

— Dépêche-toi !

Gautier sentit que, cette fois, il valait mieux obéir.

— Coupe-lui ses braies ! Et trouve-moi de quoi faire des bandages et de la charpie ! ordonna-t-elle.

Le vieux sortit son coutel et fendit le tissu.

Dehors, le vent soufflait en bourrasques. Le Lombard et le moine avaient rejoint les autres dans la cale pour écoper. Bjorn manœuvrait l'aviron de toutes ses forces. Des éclairs zébraient le ciel.

La mer cognait la coque, et ses coups de boutoir faisaient vibrer les membrures. Les marins entonnaient un nouveau chant de nage. Devant la proue se dressait une barre d'écume. Le capitaine Corato, les dents serrées, marmonna pêle-mêle une prière à la Madone et à Neptune, baisa l'une des amulettes qu'il portait au cou et poussa le bois du gouvernail, inclinant l'étrave vers la côte.

30

La pointe de l'Aiguillon était passée. L'esnèque remontait le fleuve. Autour d'eux d'immenses marécages, des pêcheries, des moulins, des écluses et des berges en pente douce où le vent se jouait, couchant les roseaux sous son souffle. Ils apercevaient au loin les murailles blanches d'une abbaye, les toits de joncs d'un village de pêcheurs, le clocher d'une église…

Au fur et à mesure de leur progression, tout s'apaisait. Ils entraient dans un autre monde où dominait le vert des hautes herbes et le jaune des iris. Des loutres plongeaient à leur approche et Tancrède se demanda s'il n'avait pas rêvé la fureur des éléments.

Pourtant, derrière eux, l'enfer s'était déchaîné. Des centaines de mouettes refluaient vers l'intérieur des terres. Des éclairs rayaient le ciel comme autant de coups de griffes.

Hugues avait rejoint le pilote près de l'étrave.

— Vous nous avez ramenés bien vite à la côte, cette fois !

Le Breton ne se retourna pas, il scrutait le fond et les rives.

— Ah, c'est vous, messire de Tarse ! Ma foi, oui, la belle va nous faire de ces colères dont elle a le secret. Elle est ombrageuse, savez ?

Hugues s'était habitué à cette façon qu'avait l'homme de s'approprier la mer et même si, parfois, cela le faisait sourire, cela lui donnait étrangement confiance dans ses qualités de marin. Un drôle d'homme, ce Breton qui avouait à qui voulait l'entendre qu'il n'avait jamais touché une femme à cause de la jalousie de sa maîtresse au parfum de sel et d'algues.

— Je vous crois, répondit Hugues tout en suivant des yeux le knörr qui venait d'entrer à l'abri de l'anse. Corato a réussi à passer.

Les yeux de Pique la Lune observèrent un instant le navire marchand.

— Il a cassé sa vergue ! fit-il avec une grimace. J'pensais pas qu'il y arriverait, il embarquait trop les vagues, mais y sait naviguer, ce Corato, c'est un bon marin. Oriental, mais bon marin !

— Pourquoi dites-vous cela ?

— Y a que les Bretons à savoir la mer ! affirma Pique la Lune.

Derrière le knörr, une flottille de barques de pêche et un paro étaient entrés dans l'embouchure de la Sèvre.

— Il me semble avoir déjà remarqué celui-là à Saint-Hélier, murmura Hugues pour lui-même.

— Que dites-vous ?

Hugues répéta. Le pilote fixa le navire à la coque vert d'eau. L'embarcation se confondait avec la végétation environnante.

— Non, je me souviens pas de l'avoir vu à Saint-Hélier, mais j'ai dormi pendant l'escale. Par contre, je suis sûr qu'il était à Barfleur…

— Barfleur, Saint-Hélier ? Drôle de coïncidence. Vous pensez qu'il nous suit ?

— Peut-être oui, peut-être non.

Le Breton continuait à examiner la ligne longue et fine du petit vaisseau.

— C'est sa couleur qui me plaît pas, vert d'eau, même les cordages et la voile, c'est pas une couleur honnête. Y veut pas qu'on le voie.

— Pourtant du vert…

— Croyez pas ça, messire. En mer, pâle comme ça, on le repère moins facilement, et sur les fleuves, regardez comme il se confond avec la végétation des rives.

— C'est vrai. Peut-être faut-il le signaler au stirman ?

— Je vais le faire. Et puis, avec ce qu'on transporte… Je me demande si Magnus s'en est aperçu, lui aussi.

Ils cherchèrent du regard le chef des guerriers fauves et virent qu'il avait quitté son banc de rame. Appuyé au plat-bord, il fixait le navire vert pâle.

— On dirait que oui. Cela pourrait être des pirates ?

— Oh, oui ! Faut pas croire, il y en a par ici, et des naufrageurs aussi… Des feux trompeurs en Bretagne et sur les côtes du côté de la Seudre. Moins que dans le golfe de Gascogne et en Méditerranée, mais quand même.

— C'est vrai que, surtout au large de l'Afrique, les attaques sont fréquentes, se souvint Hugues.

— Vous êtes allé jusque là-bas, messire ?

— Oui. J'ai même navigué avec Georges d'Antioche. Il faudra qu'un jour je vous raconte cela.

Les yeux de Pique la Lune brillaient.

— Oh, oui ! fit-il. Mais je peux vous poser une question ?

— Bien sûr.

— Comment ELLE est ? demanda Pique la Lune avec ferveur.

— ELLE ? La mer ?

— Oui. La mer intérieure, il paraît qu'elle n'a pas de marées ?

— C'est vrai.

— C'est difficile à imaginer. C'est comme si elle respirait pas… Et est-ce qu'elle sent comme la nôtre ? Non, ça se peut pas…

Hugues, qui avait continué à suivre des yeux le bateau vert pâle, attira l'attention de son compagnon.

— Regardez ! Ils n'ont pas l'air de s'intéresser tant que ça à nous.

La coque vert pâle filait à bâbord, tirée par ses rameurs. Le pilote hocha la tête.

144

— Il se dirige vers l'abbaye de Saint-Michel-en-l'Herm. Savez, ici, c'était le pays des Colliberts, un drôle de peuple qu'habitait les marais. Ils fréquentaient pas les autres, se mariaient entre eux, vivaient dans des huttes de roseaux. Les marais, c'est un monde à part, faut savoir y vivre. Mais pourquoi je vous dis ça, moi ?

Il haussa les épaules et se tut, observant les manœuvres du paro qui avait gagné la rive.

— Ils accostent.

Il s'était à nouveau absorbé dans la contemplation des méandres du fleuve.

— Après tout, ils commercent peut-être avec l'abbaye de Saint-Michel. Du bois, du sel, du vin… Allez savoir.

L'homme fronça les sourcils en observant les rives. Il avait fait signe de ralentir la marche. Par endroits, les passages s'étrécissaient et, malgré les vaguelettes, ils voyaient le fond. Ici et là se dessinaient des bancs de sable.

— Hé, toi, là-bas, retourne à ta sonde ! ordonna-t-il à son jeune aide qui se précipita pour lancer le fil.

31

Les marins ramaient au ralenti, et Knut avait rejoint Harald à l'arrière. Eux, si souvent taciturnes, plaisantaient comme des gens qui savent qu'ils ont échappé à la mort. Enfin, le stirman désigna le navire de charge du menton.

— Ils ont cassé du bois, on dirait, remarqua-t-il.

— Oui, mais ils ont réussi à nous suivre. Pour un Grec, l'est pas mauvais, ce capitaine Corato, d'autant qu'ils sont lourdement chargés. Dommage qu'on ne se soit pas arrêtés dans l'embouchure de la Loire ! fit Knut. Tu te souviens de cette auberge à Nantes où l'on buvait un hydromel…

— Je me rappelle surtout que t'aimais la garce qui le servait. Faut dire que c'était pas une femme, c'était une statue !

— Tu crois pas si bien dire. Aussi grande que les femmes de chez nous et large et vigoureuse. Des bras et des cuisses musclés, jamais fatiguée à l'ouvrage. La peau ferme et douce, et ces cheveux épais comme du crin de cheval, ces fesses énormes et dures… Ah oui, elle m'en a donné…

Le regard du maître de la hache vacillait à l'évocation de la robuste créature capable de soutenir ses assauts répétés et d'en redemander encore. En fait, mais il ne s'en était jamais vanté, pour la première fois de sa vie, c'est lui qui avait crié grâce !

Voyant son air rêveur, Harald s'esclaffa et lui décocha une bourrade dans les côtes.

— Pour ça, tu devras attendre, mon gars, fit-il. Par contre, pour l'hydromel, tu as peut-être une chance. Pique la Lune m'a assuré que les moines de Maillezais avaient des merveilles dans leurs caves. Tu sais, d'un autre côté, avec ce qu'on transporte, je comprends que Magnus préfère éviter les escales dans de grands ports comme Nantes. On évitera les coupe-jarrets de toutes sortes.

— Le présent du roi… Tu as vu, ces coffres ne sont pas bien grands, mais l'Orcadien les emmène partout. Je me demande ce que c'est.

— Ne te le demande pas, ce ne sont pas des choses pour nous. Quant à ce mouillage-là, tu verras, si notre pilote a choisi l'abbaye de saint Rigomer comme refuge, y connaît son métier, c'est que c'est bien.

Ils approchaient de l'abbaye, juchée sur une île à la végétation épaisse. Sur un ponton de bois attendaient de solides moines armés de fourches et de faux. L'esnèque vint s'amarrer en douceur, et le pilote sauta à terre, allant les saluer. Un moine accourut à sa rencontre, sa chape volant autour de lui. Ils s'étreignirent longtemps, puis remontèrent côte à côte le chemin sinueux menant à l'abbaye.

146

En quelques instants, le navire fut démâté et le mât couché sur le pont. Knut inspecta les betas. L'une d'elles s'était brisée en son milieu, quant aux rames que les hommes avaient rentrées, une s'était brisée sur un écueil et une autre était fendue par le travers. Ensuite, le maître de la hache, les sourcils froncés, examina les tonneaux de cuir servant à protéger les armes, les outres de peau, les filins…

Deux marins avaient mis une embarcation à l'eau et examinaient l'état de la coque. Magnus le Noir avait sauté à terre, bientôt suivi du stirman, avec qui il discuta un moment avant de rejoindre ses guerriers.

Quelques instants plus tard, le Breton réapparut seul. Il se dirigea vers eux et, montrant le ciel où s'amoncelaient des nuages venant du large, déclara :

— Il va pleuvoir. Devriez faire dresser les tentes. Les moines sont heureux de nous proposer l'hospitalité de leur terre et la chaleur de leur réfectoire. Ils ont pas assez de place pour nous dans leur hostellerie, mais nous proposent d'installer notre camp au sec de ce côté, fit-il en tendant le bras vers un pré non loin d'une vaste grange ressemblant à une coque de bateau retournée.

Knut les avait rejoints, il lui dit :

— Ils demandent aussi si vous avez des avaries. Ils ont du bois de construction dans les réserves.

— Je vais aller les voir. Il me faut du bois sec pour tailler de nouvelles rames et des betas. On finit d'inspecter la coque mais, à mon avis, elle n'a rien.

Le knörr avait accosté, lui aussi, non loin de l'esnèque. Sa vergue pendait lamentablement, brisée net. Les marins déchargeaient leur blessé sur une litière de fortune qu'escortait Eleonor.

Le Lombard s'approcha avec le capitaine Corato qui prit à part le maître de la hache, tandis qu'il s'adressait au Breton :

— J'ai entendu vos dernières paroles. Vous semblez bien connaître les moines…

— Oui, je fais escale à l'abbaye de saint Rigomer à chaque fois que je le peux.

— On a un blessé.

— Ils vont le prendre à l'infirmerie. D'ailleurs, regardez, ils ont déjà envoyé leur frère infirmier.

Effectivement, un gros moine avait rejoint Eleonor et fait signe à ses serviteurs de porter le marin vers l'abbaye.

— Ils ne peuvent vraiment pas nous recevoir à l'hostellerie ? Je suis prêt à tout pour une paillasse sèche, même à abandonner une bourse de bel et bon argent au sire abbé.

— Je pense que le révérend abbé vous en saura gré, les pauvres sont chaque jour plus nombreux aux portes de l'abbaye, mais il ne changera pas d'avis pour autant. Nous sommes beaucoup trop et je ne pense pas que vous demandiez un lit pour vous tout seul ?

— Euh, non.

— De toute façon, ne vous inquiétez pas, vous serez au sec cette nuit. Les moines vont nous fournir de la paille et ils nous attendent au réfectoire pour le repas du soir. L'abbé nous propose de nous installer non loin de nos bateaux, près de la grange dîmière.

— Ça ira bien, grommela Giovanni.

— Ils nous fourniront l'eau potable et du bois sec pour les feux de camp. Et puis, demain, à moins qu'ELLE ne le veuille pas, vous dormirez dans un vrai lit.

— Nous arriverons à La Rochelle, n'est-ce pas ?

— Oui, nous y aborderons dans la matinée. Ce ne sera pas encore tout à fait la moitié du voyage pour vous, mais quant à moi j'aurai rempli ma part.

— C'est vrai, et fort honorablement. Nous serons au regret de vous perdre.

Giovanni poursuivit pour lui-même :

— Je vais faire nettoyer les dortoirs et le pont. Ce soir, tout le monde dormira sous la tente, même les passagers.

Le marchand frissonna en observant le ciel chargé de nuages. Un vent froid soulevait son mantel et il se frotta les mains l'une contre l'autre.

— Bien heureux, j'avoue, d'être ici plutôt qu'en mer. Après cet avant-goût de tempête, l'hospitalité des moines, et surtout leurs vins, nous réchaufferont le cœur et les os.

32

La nuit était tombée et il pleuvait quand Hugues et Tancrède revinrent du réfectoire. Levant leurs torches dont les flammes vacillaient, ils éclairaient le sentier boueux menant au campement.

— Qui va là ? cria une sentinelle en leur barrant le passage.

— Hugues de Tarse et Tancrède, jeta l'Oriental en abaissant un instant sa capuche.

Le marin s'écarta. Une aumusse, sorte de vaste capuche, protégeait son crâne, mais ses vêtements et ses souliers étaient trempés.

— Ah, c'est vous, messires ! fit le jeune gars qui était plus souvent sur les bancs de rame avec Tancrède qu'à monter la garde. Faut que je me répète qu'on est mieux ici qu'à ramer, pas vrai ?

— C'est vrai qu'à première vue, ce n'est pas évident, acquiesça le jeune homme. D'autant que toi, tu es habitué au roulis.

— Je boirais bien un coup de cidre ou d'hydromel pour me réchauffer la couenne, maugréa le marin. Les autres sont allés manger, c'est bientôt mon tour.

— Vous êtes combien à garder le camp ? demanda Hugues en regardant autour de lui.

— Deux. Et deux guerriers sur l'esnèque. Pour le knörr, je crois qu'ils ont laissé un mousse et le sondeur à bord.

— En tout cas, crois-moi, la table de l'abbaye vaut le détour, affirma Tancrède. Volailles à foison, pain blanc et même des pichets de vin pour les hôtes. Et pas du mauvais.

— Ah ça, messire, vous me redonnez courage ! C'est tout ce que je voulais entendre ! s'écria le jeune gars dont la figure s'illumina à l'idée de ces réjouissances. Bien le bonsoir à vous deux. Que Dieu vous bénisse !

Les deux compagnons traversèrent le champ de toiles installées en cercle autour d'un feu de camp.

Une fois sous leur tente, les mantels trempés suspendus à la barre transversale, Tancrède se laissa tomber sur sa paillasse et s'apprêta à ôter ses bottes. Il interrompit son geste, et se tourna vers son maître qui venait de s'asseoir en face de lui.

— Bartolomeo d'Avellino nous évite soigneusement, finit-il par dire. Par contre, il ne quitte plus la jeune damoiselle. Il était assis à sa table et où qu'elle aille, il l'escorte. Croyez-vous qu'il trame quelque chose contre notre jeune amie ?

— Non. Mais je ne saisis pas la raison de ses assiduités auprès d'elle.

— D'un autre côté, n'importe qui aurait plaisir à être en compagnie d'Eleonor.

— Vous l'appelez par son prénom, maintenant ? remarqua Hugues en fronçant les sourcils.

— Elle m'y a autorisé lors de notre dernière conversation et je ne vois pas de raison de m'en priver. Vous savez, elle est fort érudite...

— Non, je ne le sais pas, le coupa Hugues.

— Évidemment ! Vous passez votre temps à la fuir.

Hugues ôta ses bottes et s'allongea tout habillé sur son lit de camp.

— Il est temps de dormir.

— Je ne comprends pas, protesta le jeune homme. Pourquoi, alors que vous n'avez cessé de me mettre en garde contre d'Avellino, n'avez-vous pas prévenu notre amie du danger de sa compagnie ?

— Je le ferais si j'étais sûr qu'elle le soit. Laissons cela, voulez-vous ?

Tancrède songea que son maître faisait bien des efforts pour se tenir à distance de la jolie Eleonor.

— Comme vous voudrez, fit-il.

Le silence retomba entre eux.

— Vous avez eu votre première vraie tempête aujourd'hui, finit par dire Hugues.

— Oui.

Était-ce le son de la pluie qui martelait la toile au-dessus de leurs têtes ? Ils revoyaient les vagues énormes qui passaient par-dessus l'étrave. Ils restèrent un moment ainsi à se souvenir de la fureur des éléments, puis le jeune homme reprit la parole :

— Bien des jours ont passé depuis notre dernière conversation.

— C'est vrai. Mais ils devaient être nécessaires. Comme disait Platon : « Une vie à laquelle l'examen fait défaut ne mérite pas qu'on la vive. »

— J'avais besoin de temps pour que vos paroles pénètrent en moi, et aussi pour me résigner à la perte de ma mère, avoua le jeune homme. Sans doute ne suis-je pas aussi solide que je le croyais.

— Vous l'êtes bien plus, au contraire. Le silence et ces jours passés à ramer vous ont changé, Tancrède. Votre corps s'est durci et ni votre regard ni votre visage ne sont les mêmes que le jour de notre départ.

— Je ne sais quel est mon visage, mais je sais que mon cœur a du mal à admettre ce que la vie lui enseigne. Vous m'avez parlé de cette promesse faite à mon père, mais pourquoi ne pas m'avoir expliqué tout cela plus tôt, Hugues ? Quand je pense à toutes ces années passées ensemble, ces années où nous aurions pu…

— Je ne pouvais rompre mon serment, vous le savez, le coupa Hugues. Et puis, la demande de votre père était justifiée : vous n'auriez pu comprendre l'homme qu'il était, ni ses choix, avant d'être un homme vous-même. Maintenant que nous revenons vers la Sicile, tout est plus simple.

— C'est donc là le pays où je suis né ?

— Oui.

— Tous mes souvenirs… Les jardins, les fontaines, les voiles aux portes des maisons, ces fruits aux couleurs vives…

— Viennent de la Sicile. Vous êtes né à Palerme, dans le palais de votre père. Ensuite, vous êtes parti pour le château d'Anaor, près d'Enna. C'est là que vous avez vécu avec votre mère.

— Né à Palerme dans le palais de mon père, répéta Tancrède. Mais vous m'avez dit que ma mère était une esclave… Qui suis-je alors ?

— Tout ce que vous pourrez apprendre ne changera rien à ce que vous êtes, Tancrède. C'était un des objets de mon enseignement pendant toutes ces années.

— Mais pourquoi mon père m'a-t-il caché ? Pourquoi sommes-nous partis, vous et moi ?

— Votre père était un chef de guerre et un homme de bien. Il était appelé au plus haut des destins, mais la seule chose qu'il ne pouvait faire, c'était épouser la femme de son choix : votre mère, que pourtant il a aimée plus que tout.

Il y avait tant de révélations dans les paroles d'Hugues… mais surtout une sonorité terrible. La gorge serrée, Tancrède hésitait :

— Vous employez le passé en parlant de lui. Dois-je comprendre que, comme ma mère…

Hugues allait répondre.

— Non ! s'écria Tancrède en se levant brusquement. J'ai trop attendu, mais surtout, j'ai trop espéré.

La voix du jeune homme se brisa. L'Oriental s'était levé à son tour. Il aurait voulu saisir le jeune homme dans ses bras et le serrer. La portière de toile était retombée. Il entendit les pas qui s'éloignaient, l'appel de la sentinelle.

Il s'assit sur le bord du lit, la tête dans les mains, se maudissant de sa maladresse et des souffrances qu'il infligeait à celui qu'il aimait comme un fils.

33

Ombres noires et basses sur l'eau, des barques avançaient sans bruit. Elles s'arrêtèrent à quelque distance de la rive, puis accostèrent avec un choc mou. Les hommes se séparèrent en trois groupes. Aucun mot n'avait été échangé. Celui qui semblait être le chef partit avec une dizaine d'hommes sous le couvert des arbres, cinq autres restèrent près des embarcations tandis que les derniers se dévêtaient rapidement et, leurs couteaux entre les dents, se coulaient dans l'eau glacée du fleuve.

D'abord comme un furieux, puis avec plus de calme, Tancrède avait marché au hasard jusqu'à ce qu'une silhouette encapuchonnée apparaisse à quelques pas de lui.

Instinctivement, il se cacha. La forme avait disparu dans les roseaux de la berge. Les yeux du jeune homme s'étrécirent. Les nuages poussés par le vent s'étaient éloignés, la pluie s'était arrêtée. Des étoiles s'allumaient dans le ciel, la clarté de la lune illumina le visage de celui qui revenait vers lui : le pèlerin de Saint-Jacques, maître Richard, cet homme qu'Eleonor n'aimait pas et qui la poursuivait de ses assiduités.

Il retournait vers le camp d'un pas rapide.

Le cri d'une chouette retentit au loin.

Il sembla à Tancrède que des silhouettes bougeaient dans les sous-bois qui venaient mourir près des murs de la grange dîmière. La lune se cacha à nouveau derrière les nuages, dérobant le monde à sa vue.

Quand elle réapparut, il n'y avait plus rien.

Il haussa les épaules, se moquant de lui-même. Il avait dû rêver. Ses pensées revinrent à ses parents. Il n'était donc qu'un bâtard comme Bjorn. Le fils d'un seigneur et d'une esclave orientale. Il quitta le couvert et se dirigea vers le fleuve, regardant sans les voir les reflets argentés qu'agitait une légère houle. Une roche plate se dressait au milieu des roseaux, il s'y assit en tailleur et ferma les yeux, plus désemparé qu'il ne l'avait jamais été.

Dans le campement, Hugues s'était redressé d'un coup. L'appel de la chouette s'était répété une seconde fois. Il n'arrivait pas à trouver le sommeil et il décida de sortir. L'air et une marche nocturne lui feraient du bien. Il enfila ses bottes, saisit son cimeterre, passa son poignard à sa ceinture et, jetant son mantel sur ses épaules, sortit de la tente.

La portière à peine retombée, il s'arrêta net.

Le silence était trop parfait. Les oiseaux de nuit s'étaient tus. Sous les tentes, rien ne bougeait et même les sentinelles restaient invisibles. Il cherchait des yeux les bateaux quand un grognement retentit derrière lui. L'Oriental se retourna et se trouva face au chien d'Eleonor.

— Eh bien, que fais-tu là, toi ? murmura-t-il. Où est ta maîtresse ?

La bête restait immobile à l'observer, ses yeux vairons réverbérant la lueur argentée de la lune et, malgré lui, les doigts de Hugues se resserrèrent sur la garde de son coutel.

Enfin, le grand chien partit d'un coup vers le fleuve, le nez au sol. Hugues le suivit sans bruit.

34

Le long des filins qui retenaient les bateaux à un pieu planté dans le mitan du fleuve grimpaient des formes noires. Sans bruit, un nageur prit pied sur le ponton près du navire de guerre. D'entre les roseaux apparut la silhouette d'un homme en gris armé d'une arbalète.

Ensuite, tout se passa très vite.

La sentinelle qui allait et venait entre le ponton et la rive s'effondra, la gorge tranchée. Sur le pont de l'esnèque, deux guerriers de Magnus discutaient à voix basse. Ils n'avaient rien entendu. L'homme à l'arbalète plaça un carreau dans son encoche. Un sifflement, puis un second très vite, les guerriers tombèrent à leur tour.

À nouveau, le cri de la chouette.

Dans le knörr, Bjorn avait pris son tour de garde. Le mousse avait regagné sa paillasse et le sondeur était à l'arrière. Le géant arpentait le pont, une hache sur le dos, songeant à la femme qu'il avait aimée, au château de Pirou, au parchemin donné par Hugues à Jersey, se répétant le nom de Karetot...

Un bref craquement sur les lattes, derrière lui, l'alerta. Il se jeta de côté en se retournant, évitant la lame qui allait le transpercer. Quelques secondes plus tard, il roulait à terre avec son assaillant.

Alors qu'il cherchait en vain des yeux le chien d'Eleonor, Hugues buta du pied sur le cadavre sanglant d'un des gardes du camp. L'homme, le ventre ouvert, était encore chaud. L'Oriental saisit le cor de la sentinelle et le porta à ses lèvres, faisant résonner dans la nuit un long appel rauque.

Très vite, les guerriers fauves surgirent à ses côtés et partirent en courant vers les bateaux. Dans le camp retentissaient des cris d'alerte. L'Oriental avait dégainé son cimeterre, se maudissant d'avoir laissé Tancrède s'en aller sans armes.

À bord du long navire, les pirates se trouvèrent face aux guerriers fauves qui, en quelques secondes, les taillèrent en pièces. Un survivant sauta du plat-bord dans le fleuve où il atterrit au milieu d'une gerbe d'écume, Magnus le Noir derrière lui.

Entre deux passages de nuages, Hugues les aperçut étroitement enlacés, puis le corps du pirate se retourna, les entrailles à l'air, et le chef des guerriers revint vers la rive.

L'Oriental était grimpé à bord du knörr. Bjorn, armé d'une doloire, faisait face à deux assaillants.

— Avec moi, Bjorn ! cria-t-il en le rejoignant d'un bond, le cimeterre levé.

Les autres s'étaient reculés.

Le cri de la chouette retentit par trois fois.

Les pirates se regardèrent et, d'un seul coup, sautèrent par-dessus bord sous le regard ahuri des deux hommes.

Menés par Knut et Harald, des marins arrivaient en courant, armés de crocs et de haches. La cloche de l'abbaye de Maillezais sonnait à la volée et les moines fonçaient vers la grange dîmière, brandissant fourches et faux.

— C'est l'hallali qui sonne ! fit Hugues en abaissant son épée. Mais on ne les rattrapera pas. Regardez, ils ont des canots.

Les nageurs avaient pris place dans de longues barques. Un homme enveloppé d'un long mantel se tenait debout à l'avant de l'une d'elles.

Bjorn hocha la tête, étonné d'être encore en vie. Il avait cru sa dernière heure venue, mais aucune crainte ne l'avait vraiment saisi, plutôt une excitation inconnue.

— Vous avez réussi à en avoir un, en tout cas ! remarqua l'Oriental en poussant du pied le cadavre du pirate tué par le géant blond.

— C'est lui qui a failli m'avoir ! avoua Bjorn. Si le plancher n'avait pas grincé…

— On doit parfois la vie à des choses minuscules : le chant d'un oiseau, un caillou qui vous fait trébucher… Vous étiez combien à mener la garde ?

— Deux. Le sondeur et moi. Mais oui… Où est-il, celui-là ? Et P'tit Jean qu'est au dortoir.

Bjorn courut vers la poupe. Il trouva très vite le cadavre tombé en travers d'un rouleau de cordages. L'homme avait été égorgé par-derrière sans avoir pu se défendre.

Puis le géant s'aventura jusqu'au dortoir, sous le château arrière.

— C'est là que le petit a filé, expliqua-t-il à Hugues. Il en pouvait plus de fatigue, le pauvre gosse.

La salle basse était plus sombre qu'un four et les deux hommes s'arrêtèrent sur le seuil.

— On n'y voit rien, là-dedans, murmura Bjorn.

— Laissez-moi passer devant, fit Hugues en s'avançant, la lame haute.

Au bout d'un moment, leurs yeux s'habituèrent à l'obscurité. La faible lueur de la lune éclairait une forme recroquevillée sur le plancher. Le bateau grinçait, les branles se balançaient avec la houle. Une large tache sombre s'étalait sous le corps. Hugues se pencha et posa sa main sur le cou du garçon.

— Il n'y a plus rien à faire, fit-il.

Il attrapa une couverture et en recouvrit le cadavre.

— On va le porter sur le pont, mais il faut que je trouve Tancrède.

L'Oriental imaginait le pire.

— Tancrède… fit Bjorn. Je l'ai vu passer alors que je montais la garde.

Bjorn s'interrompit. Le capitaine Corato avait surgi près de lui.

— Que s'est-il passé ici ? cria-t-il. Ah, c'est vous, Bjorn ! Répondez-moi !

— Je vais répondre à sa place, si vous le voulez bien, fit Hugues que le marin n'avait pas remarqué dans la pénombre du dortoir.

— Oh, vous êtes là ! fit l'autre dont le ton se radoucit. Je vous écoute.

— Bjorn a tué un des pirates, mais Pique la Lune a perdu son sondeur et vous, un de vos mousses.

Corato avait soulevé la couverture.

— P'tit Jean ! Sortez-le de là, Bjorn ! Encore un qui ne rentrera pas chez lui. Faudra que j'explique à sa famille. C'est moi qu'avais dit à sa mère de me le confier. J'aurais pas dû. Satanés pirates !

Ils ressortirent sur le pont. Bjorn alla déposer l'enfant près du corps du sondeur. Des marins arrivaient de partout, certains s'arrêtaient près des cadavres, se signaient ou crachaient par terre. Le marchand lombard fonça sur Corato. Il paraissait d'humeur exécrable.

— Descendez ces corps à terre et allez vérifier la marchandise, capitaine ! ordonna-t-il. Et faites recompter les ballots de fourrures. Il ne manquerait plus que ces marauds aient en plus réussi à nous voler.

Le capitaine héla un de ses marins qui accourut avec une torche.

Le ciel s'était dégagé et la lune éclairait les marais. Une odeur de feuillages humides et de terre montait de la prairie.

Tout avait l'air si paisible et pourtant l'inquiétude nouait la gorge de l'Oriental. Si son protégé avait croisé les pirates ? Il n'avait même pas son poignard, resté dans la tente.

Hugues se tourna vers Bjorn :

— Tout à l'heure, vous avez dit que vous aviez vu Tancrède ?

— Oui, messire. Je l'ai salué, mais il n'a pas paru m'entendre et il est parti le long du fleuve.

Le géant blond tendit le bras, montrant les roseaux qui bordaient les rives non loin du petit bois.

— De ce côté.

— Giovanni, autorisez-vous votre rameur à m'accompagner ? Il faut que je retrouve Tancrède et, en cas de mauvaises rencontres, nous ne serons pas trop de deux.

Le marchand acquiesça d'un grognement. Il avait pris sa tablette de cire et notait les chiffres donnés par Corato.

LE DIABLE DE LA SEUDRE

35

Des dizaines de torches éclairaient les prairies et les berges. Guerriers, moines et marins s'interpellaient. Des battues s'organisaient, ponctuées par l'appel rauque des cors.

— Il est trop tard, on ne les rattrapera plus, déclara Hugues en sautant dans la terre humide. Vous dites que vous avez vu Tancrède partir de ce côté ?

— Oui, messire, fit Bjorn. Mais je crois que nous n'aurons guère besoin d'aller plus loin. Regardez qui vient là-bas !

— Comment…

Hugues s'arrêta net. Sortant du sous-bois, un homme marchait vers eux. Sa chainse et ses braies étaient en loques, souillées de terre et de sang, et il tenait à la main une hache.

Le visage de l'Oriental s'éclaira.

— Vous n'êtes pas blessé ? demanda-t-il quand le jeune homme les eut rejoints. Ce sang…

— Ce n'est pas le mien, pas plus que cette hache n'est mienne, répondit Tancrède en l'étreignant avec force. Vous êtes vivant, mon maître. J'ai cru vous avoir perdu.

La gorge nouée, Hugues ne répondit pas. Le silence retomba entre eux et il était plus éloquent que tous les mots. Enfin, Tancrède se tourna vers Bjorn, qui s'était éloigné de quelques pas.

— Salut à vous, Bjorn.

— Salut à vous, messire ! Bien heureux de vous revoir en vie. Si vous n'avez plus besoin de moi, messire de Tarse, je retourne à mon bateau. Le marchand est furieux, le capitaine Corato ne va pas tarder à l'être aussi et c'est sur nous, les rameurs, que l'orage finira par retomber.

L'Oriental saisit la main qu'il lui tendait et la serra longuement dans les siennes.

— Merci, Bjorn.

Une fois l'homme parti, Hugues raconta à son protégé comment Bjorn et lui s'étaient trouvés côte à côte sur le navire marchand.

— Et vous, où étiez-vous donc passé ? finit-il par demander.

Tancrède montra d'un geste large les berges recouvertes de roseaux et la prairie environnante.

— Je ne saurais vous le dire, avoua-t-il. J'ai d'abord marché sans but puis, à cause de ma rencontre avec le pèlerin…

— Quel pèlerin ?

— Vous savez, celui qui est à bord du knörr, maître Richard.

— Vous l'avez rencontré le long du fleuve ? Mais qu'y faisait-il ?

— Je ne sais pas, fit le jeune homme en haussant les épaules. Je l'ai trouvé à errer. Quand il est retourné vers le camp, je me suis assis sur un rocher et j'ai dû m'y assoupir sans vraiment m'en rendre compte. C'est le murmure de voix toutes proches qui m'a ramené à moi. Des hommes armés passaient. Leur chef était un gaillard enveloppé d'un grand mantel, portant une arbalète.

— Celui-là a réussi à tuer les guerriers qui gardaient l'esnèque. Et ensuite ?

— Je me suis glissé à leur suite et, dès que j'ai pu, j'ai attaqué un traînard. Après lui avoir brisé la nuque, j'ai pris son arme et suis parti vers le camp. J'avais peur pour vous. Il n'y avait plus personne dans la tente et l'alerte a retenti presque aussitôt.

— C'est moi qui sonnais. Ils avaient déjà tué la sentinelle.

— Nous avons beaucoup de morts ?

— Moins que nous aurions pu en avoir, répondit gravement Hugues. Peut-être serions-nous morts tous deux si vous n'étiez pas parti ainsi en pleine nuit. Qui sait ? Venez, retournons au camp, il reste bien des choses à éclaircir et je voudrais m'assurer qu'il n'est rien arrivé à notre jeune amie.

Devant eux était apparue la silhouette du grand chien qui leur emboîta le pas en remuant la queue.

— Eh bien, Tara, aurais-tu entendu que je parlais de ta maîtresse ? demanda Hugues. Tu ferais mieux de monter la garde au lieu de rôder sans donner l'alarme alors que tu es le premier à avoir senti le danger.

Le chien émit un grognement qui aurait pu être une protestation, puis il partit en courant de sa longue foulée souple vers le campement.

Une grande agitation y régnait. Les marins avaient porté les morts près du feu. Des brassées de bois sec avaient ranimé les flammes. Le frère infirmier de l'abbaye pansait les blessés.

Alors qu'ils s'approchaient, Eleonor apparut. La jeune fille était pâle, mais son expression résolue. Son visage s'illumina quand elle les aperçut et elle courut à leur rencontre.

— Vous êtes blessé ! s'exclama-t-elle en voyant le sang qui souillait les habits de Tancrède.

— Non, non, tout va bien, protesta ce dernier. Et vous, damoiselle ?

— Je vais bien aussi.

La jeune fille avait rendu son salut à l'Oriental qui s'était incliné courtoisement devant elle.

— Nous venions nous assurer que vous n'aviez rien, déclara-t-il.

— Je vous en remercie, sire de Tarse. C'est le départ de mon chien en pleine nuit qui m'a réveillée, poursuivit-elle. J'ai même failli le suivre. Le temps que j'hésite en me disant que, sans doute, il partait chasser les lapins qui sont nombreux autour du camp et que j'enfile mes bottes, on sonnait l'alerte.

— Il avait dû sentir les assaillants, mais il n'a pas averti. Il a des habitudes de chien de combat, il n'aboie jamais.

— C'est vrai. Que s'est-il passé ? Expliquez-moi. Qui nous a attaqués et pourquoi ?

— Sans doute des pirates, éluda-t-il, mais nous n'en savons pas davantage. Excusez-moi.

Déjà, Hugues tournait les talons.

— Je peux aider aux soins s'il est besoin, protesta Eleonor.

— Il y a malheureusement plus de morts que de blessés, rétorqua-t-il sans se retourner.

L'Oriental s'était arrêté près des cadavres : la sentinelle du camp, celle du ponton, le plongeur, un mousse, les guerriers fauves…

— Ne faites pas attention à mon maître ni à ses manières, fit doucement Tancrède. Cela n'a rien à voir avec vous, damoiselle. Quand il a cette figure-là, c'est que quelque chose le tourmente.

— Je comprends, murmura la jeune fille.

La lueur des flammes jouait dans ses yeux bleus et, une fois de plus, Tancrède la trouva belle. Elle ne faisait pas partie de ces femmes dont la beauté vous envahit au premier regard, son charme s'insinuait en vous au fil des jours. Quand vous le réalisiez, il était trop tard.

Il ajouta, troublé :

— Vous devriez retourner vous coucher.

La jeune femme étouffa un bâillement.

— Je vais proposer mon aide à l'infirmier de l'abbaye et puis je vous obéirai, Tancrède. La nuit a été courte et nous partons de bonne heure demain matin.

164

Le jeune homme s'inclina et repartit. Le visage d'Eleonor dansait devant ses yeux. Il se confondait avec celui, rêvé, d'Anouche, sa mère, et celui, déjà lointain, de damoiselle Sigrid, la laide, la repoussée, la dame blanche qui lui avait tant donné.

À quelques pas de là, son maître paraissait perdu dans ses pensées et il se garda bien de l'interrompre. Des éclats de voix parvenaient jusqu'à eux, venant du groupe formé par les passagers du navire marchand.

Effrayés et excités tout à la fois par les derniers événements, les hommes discutaient avec véhémence. Seul frère Dreu manquait à l'appel. Il devait dormir du sommeil du juste dans la cellule prêtée par ses frères à l'abbaye. Tout en rentrant son épée au fourreau, d'Avellino, qui venait de rejoindre les autres, répondit distraitement aux questions de maître Richard, le pèlerin de Saint-Jacques.

— Il paraît que ce sont des pirates ! Moi qui croyais que le voyage par mer serait plus tranquille, je me suis bien trompé. Vous les avez vus ? demandait celui-ci.

— Non, pas vraiment. C'est l'alerte qui m'a réveillé comme vous, j'imagine. Quand je suis sorti de ma tente, tout était déjà fini. J'ai fait une battue avec les marins le long des berges. La seule chose que l'on a aperçue, c'est des canots qui s'éloignaient.

— Ils ont même tué le mousse…

L'attention de Tancrède fut détournée des paroles du pèlerin ; quelqu'un tirait sur sa tunique.

— Z'avez pas vu ma maîtresse, mon bon sire ? demanda le vieux Gautier en s'agrippant à lui, une torche penchant dangereusement dans son autre main.

— Je vais vous prendre cela, mon brave, avant que vous ne mettiez le feu au campement, fit le jeune homme en s'emparant du flambeau. Votre maîtresse va bien, et je ne crois pas qu'elle ait besoin de vos services.

Vous feriez mieux d'aller cuver votre vin. Vous ne lui servirez à rien dans cet état.

— Vous croyez ? fit l'autre en lui soufflant une haleine avinée au visage.

Il tituba et se raccrocha de nouveau à lui.

— Z'avez raison, vais faire encore un p'tit roupillon… Croyez qu'on est bientôt arrivés en Orient ? Le bateau y roule plus tant. Ou alors, c'est que j'm'y habitue.

— Bien sûr, puisqu'on est à terre ! répliqua Tancrède en souriant malgré lui aux remarques de l'ivrogne. Quant à ce qui est d'arriver en Orient, on en est loin.

Depuis le départ, il n'avait jamais vu l'homme autrement qu'ivre ou en passe de l'être. Un fier serviteur qu'Eleonor avait là ! Pourtant, à chaque fois que quelqu'un s'en prenait à lui, elle le défendait comme une mère son petit. L'ivrogne, il l'avait compris, était tout ce qui lui restait de son pays, son lien avec l'enfance et le manoir de son père.

— À terre ! Comment ça à terre ? protesta l'autre.

Son regard trouble balaya les tentes et les arbres qu'éclairait la lune.

— Bon, si vous la voyez, dites-lui que je suis retourné me coucher, grommela le vieux en partant d'un pas mal assuré vers sa paillasse.

Un peu à l'écart, Pique la Lune et Knut s'entretenaient avec Harald, Corato et Giovanni. Tancrède ne saisit pas leurs paroles, mais les visages des hommes étaient graves.

Des guerriers fauves entrèrent brusquement dans le cercle de lumière, traînant par les cheveux les dépouilles des pirates qu'ils jetèrent à côté des autres. D'un côté comme de l'autre, personne n'avait fait de prisonniers.

— Tancrède, donnez-moi votre torche !

Le jeune homme rejoignit son maître près du cadavre de la sentinelle. Hugues saisit le flambeau puis alla de corps en corps. Il s'arrêta longuement près de l'un des pirates, s'agenouillant pour mieux voir ses traits, puis se releva et continua son inspection en marmonnant un mélange incompréhensible de mots arabes, hébreux et latins.

Un moine accourut, annonçant que leurs guetteurs avaient aperçu trois barques rejoignant un paro qui manœuvrait dans l'embouchure du fleuve.

— Je vous avais dit qu'on ne les rattraperait pas, marmonna Hugues qui se penchait maintenant sur les dépouilles des guerriers fauves.

Il désigna les carreaux fichés en travers de leur gorge :

— L'homme à l'arbalète tirait vite et bien, malgré la nuit. Ces deux-là n'avaient aucune chance. Ils sont morts sur le coup.

— Ceux qui ont fait ça paieront le prix du sang ! affirma Magnus le Noir qui était apparu à leurs côtés. C'est vous qui avez donné l'alerte, n'est-ce pas, messire ?

— Oui.

— Pourquoi les examinez-vous ? ajouta-t-il.

— Les morts nous en apprennent souvent plus que les vivants ! répliqua Hugues qui s'était relevé. Je voudrais vous parler.

— Je vous écoute.

— Non, pas ici, et puis, j'aimerais que vous réunissiez aussi le stirman et Pique la Lune. Et aussi que vous fassiez porter le cadavre de la sentinelle du camp, celui du mousse et du sondeur sous votre tente. C'est là que nous nous entretiendrons, si vous le voulez bien.

Tancrède s'émerveilla à nouveau de l'aisance avec laquelle son maître obtenait ce qu'il voulait. Sa voix était ferme et assurée. Le ton sans réplique. Le chef orcadien le dévisagea et hocha la tête.

36

Quelques instants plus tard, Hugues, Tancrède, Pique la Lune, Harald et Magnus étaient réunis sous la vaste tente. Des haches et des épées étaient suspendues à un trépied de métal ouvragé. Le sol était couvert de tapis et de nattes. Des coffres et un chariot à roulettes étaient rangés au fond. Devant le brasero où craquait une brassée de bois sec étaient alignés les trois cadavres.

— Asseyez-vous ! proposa Magnus en prenant place sur un fauteuil pliant.

Ils se mirent en cercle sur les nattes de jonc et les coussins. Seul Hugues resta debout, regardant les corps sans vraiment les voir.

— Vous devez vous demander pourquoi je vous ai fait venir, commença-t-il.

Tancrède retrouvait chez son maître cette façon de parler à la fois lente et déterminée qu'il employait parfois quand il voulait convaincre tout en se donnant le temps de réfléchir.

Il ne faisait pas différemment quand il lui procurait son enseignement. Énonçant ses observations, pesant ses mots, avant, soudain, d'aller à l'essentiel avec brusquerie, presque violence, forçant son élève à suivre les singuliers chemins de traverse de sa pensée.

Mais surtout, cela lui rappela avec quelle aisance l'Oriental avait résolu le mystère des meurtres du château de Pirou. Il avait eu l'impression dérangeante qu'Hugues avait tout compris au premier regard.

Le jeune homme s'assit sur ses talons, les yeux fixés sur son maître.

— Vous n'êtes pas homme à nous réunir sans avoir une solide raison. Nous vous écoutons, fit Harald.

— Merci. Je voudrais tout d'abord que notre pilote rappelle ici la conversation que nous avons eue à propos d'un certain vaisseau vert pâle que, je crois, vous avez remarqué, vous aussi, Magnus.

L'Orcadien acquiesça d'un geste du menton. Pique la Lune prit la parole. La mort du jeune sondeur du knörr, un gars du même village que lui, l'avait secoué et sa voix tremblait encore quand il déclara :

— Ce paro, ce navire de guerre, était à Barfleur, de cela, je suis certain. Messire de Tarse l'a remarqué à l'escale de Jersey et ils sont entrés dans l'embouchure, vous l'avez vu, juste après nous. Ils ont détourné notre attention en partant vers l'abbaye de l'Herm, mais ce n'était qu'un leurre. Ils nous suivent depuis le début, j'en suis convaincu. Ce sont d'habiles marins car, malgré les brumes et les tempêtes que nous avons essuyées, ils ne nous ont pas perdus.

— À ce sujet d'ailleurs, remarqua Hugues, il y a peut-être une autre façon d'expliquer leur habileté, mais nous y reviendrons plus tard. Toujours est-il que ces hommes ont réussi à nous attaquer et à tuer plusieurs des nôtres.

Le visage de Magnus s'était durci. Pour cet homme rude, la perte de ses guerriers était une atteinte à son honneur. Ils faisaient tous partie du même clan, là-bas, dans les Orcades. Même déchu, il restait leur prince et les fils de leurs vies étaient liés aussi sûrement que ceux des tapisseries qui ornaient le palais nordique de son père.

— Vous pouviez, sans doute, reprit Hugues en s'adressant à lui, amener à Barfleur le cadeau d'Henri II sans que cela attire l'attention, mais vous ne pouviez, en aucun cas, dissimuler le départ d'une esnèque armée pour la haute mer, avec à son bord des soldats d'élite proches du roi.

— C'est vrai.

— Vous ne m'avez pas dit si les pirates avaient réussi à vous dérober quelque chose cette nuit.

— Non, et comme leur incursion sur le knörr a aussi été un échec, ils sont repartis bredouilles. Ils étaient mal renseignés et devaient croire que le butin était resté à bord de l'esnèque. Le trésor ne me quitte jamais. Il est dans les coffres que vous voyez là-bas.

Tous se tournèrent vers les trois coffres rangés au fond de la tente. Ils étaient faits du même bois, décorés d'armatures ouvragées.

— Il n'y a donc plus de doute sur le fait que ce navire de guerre en a après nous, reprit Hugues. Je voulais aussi vous signaler que j'ai reconnu un homme vu à Barfleur, la veille du départ.

— Expliquez-vous.

— Vous êtes venus manger à l'auberge, Tancrède et moi nous tenions non loin de vous.

— Je m'en souviens.

— Un homme qui boitait bas vous observait et, après votre départ, a rejoint un individu portant un grand mantel gris qu'il avait jusque-là feint d'ignorer. Ils sont sortis ensemble, peu de temps après vous. Ce boiteux fait partie des hommes tués cette nuit.

L'Orcadien ne répondit pas. Les sourcils froncés, il semblait en proie à de sombres réflexions.

— Maintenant, fit Hugues en s'adressant à son protégé, parlez-nous, Tancrède, de l'homme à l'arbalète.

— J'étais dans les roseaux quand des pirates sont passés à côté de moi, menés par un homme vêtu d'un grand mantel et portant dans son dos une arbalète.

— Vraisemblablement le chef et celui qui a tué vos guerriers. Un tireur habile et le seul d'entre eux à posséder ce genre d'armement.

— Le paro, le manteau gris, l'arbalète ! Mais je connais le gars dont vous parlez ! s'exclama soudain Harald. Il est redouté par les marins, mais d'habitude il opère plutôt en Gironde. Il est de là-bas et comme les navires marchands ralliant Bordeaux ne manquent pas… Il serait remonté vers la Normandie ?

— La valeur de notre cargaison et le fait que nous escortions un knörr rempli de marchandises ont dû attiser bien des convoitises.

— En tout cas, c'est lui, j'en suis sûr. Son paro est insaisissable et je pense qu'il a un pilote hors du commun. L'homme à l'arbalète, une vraie légende chez nous, les marins. On le surnomme le diable de la Seudre ! On le dit capable d'apparaître en plusieurs endroits à la fois. Il ne fait pas de quartier et nul ne connaît son visage. Il paraît qu'il est né à Mornac et que tous ses hommes viennent de là-bas.

— Vous vous souvenez, je vous avais parlé de la Seudre, messire. Un rude coin où sévissent les naufrageurs, renchérit Pique la Lune. Maintenant que vous le dites, Harald, cela me rappelle quelque chose.

— De toute façon, il est sûr que ce diable-là est à nos trousses et peut-être n'est-il pas le seul.

— Il faudra prévenir Corato, jugea Harald. D'ailleurs, il nous faudra rester davantage à La Rochelle que prévu. Knut a réussi à rafistoler la vergue du knörr, mais les moines n'avaient pas de pièce de bois suffisamment longue. Nous espérons en trouver une sur le chantier, là-bas. Cela signifie au moins deux jours au port.

— Nous devrions continuer sans le knörr, gronda Magnus. Sans lui, nous serions déjà loin.

— Avec tout le respect que je vous dois, c'est impossible, protesta Harald. Votre mission est d'escorter le trésor, la mienne est de respecter un accord passé entre notre roi et la famille Della Luna qui affrète le navire marchand.

La figure de l'Orcadien se tordit sous l'effet de la colère. L'homme était violent et peu habitué à ce qu'on discute ses ordres.

— Nous n'irons pas contre l'avis du roi, concéda-t-il à contrecœur. De toute façon, cette attaque aura au moins eu du bon : maintenant, nous sommes prévenus. Si ce paro, ou un autre navire, approche, nous l'attaquerons. Diable de la Seudre ou pas, nous déposerons notre présent aux pieds du roi de Sicile !

— Ce n'est pas si simple, déclara gravement Hugues.

— Que voulez-vous dire ?

— Laissez-moi d'abord vous donner quelques indices. Je vous l'ai déjà affirmé, les morts parlent plus que les vivants.

Le bois crépitait dans le brasero. Dehors retentit l'appel des sentinelles. L'Oriental s'était approché des corps. Tancrède se demanda ce que son maître avait encore vu qui lui avait échappé.

— Nous avons ici trois cadavres. Deux trouvés à bord du knörr et un, près de notre campement. Nous allons commencer par celui de la sentinelle du camp. Magnus, voulez-vous nous décrire la blessure de cet homme ?

Le chef orcadien s'était levé. Il se pencha sur le mort.

— C'est une blessure faite par un coutel. Donnée de haut en bas. L'homme qui a fait ça devait être vigoureux, l'entaille est nette et profonde.

— Rien ne vous gêne ?

Magnus hésita, mais ne sut que répondre.

— Imaginez la scène, la sentinelle va et vient. L'homme arrive sans bruit par-derrière, et…

— Mais non ! protesta Magnus. Je viens de vous dire qu'on lui a ouvert le ventre…

Un éclair passa dans l'œil du guerrier qui regarda à nouveau le cadavre.

— Vous voulez dire… commença-t-il.

— Que cet homme a été tué par quelqu'un dont il ne se méfiait pas. Et de face. Le tueur s'est fait connaître, l'a peut-être même salué, a sans doute discuté avec lui, puis, d'un coup, alors que l'autre était en confiance, il a sorti sa lame et l'a éventré.

— Un traître… Il y a un traître parmi nous.

— Un traître, répéta Harald, incrédule.

— Continuons, si vous le voulez bien. Gardons à l'esprit qu'il est possible que l'habileté des pirates à nous suivre ne soit pas le fait du hasard, mais plutôt celui de traces ou de signaux laissés à notre insu.

— Un signal… Oui, cela expliquerait bien des choses. Mais qui ? Je ne crois aucun de mes hommes capable de ça, grommela Harald.

172

— Si vous pensez que le traître peut être à bord du knörr, il faut prévenir Corato, s'insurgea Pique la Lune.

— Du calme. Nous tirerons nos conclusions après. Et vous allez voir pourquoi l'affaire est plus complexe qu'il n'y paraît.

— Avez-vous une idée de celui qui a pu nous trahir ? insista l'Orcadien.

Hugues secoua la tête. Il n'était pas le genre d'homme à répondre quand il ne le désirait pas. Et le ton courroucé de Magnus n'y changeait rien.

Il désigna le sondeur et demanda à Tancrède :

— Quelle est la blessure de celui-là ?

— Il a été égorgé. Et l'homme se tenait certainement derrière lui, vu la forme et la profondeur inégale de la blessure.

Harald, le pilote et Magnus examinaient à leur tour le cadavre.

— Vous êtes d'accord que cette blessure-là semble davantage le fait d'un assaillant extérieur ?

— Oui.

— Venons-en au mousse.

Tous s'approchèrent du corps enveloppé d'une couverture.

— Tancrède, s'il vous plaît !

Le jeune homme ôta le tissu de laine avec douceur. Le garçon était à demi nu. Une entaille aux lèvres noircies, par où s'était échappée la vie, en pleine poitrine.

— Que remarquez-vous ?

— Une seule blessure au cœur. Il a dû mourir rapidement. La lame était longue et fine.

Tout en prononçant ces mots, le jeune homme chercha à se rappeler quelque chose. Mais son maître insistait :

— Que pouvez-vous encore nous apprendre ?

— La posture est différente de celle des autres. La raideur est plus avancée. La chaleur du corps n'est plus perceptible.

173

— Porte-t-il des marques sur le torse ?

— Oui, des traces lie-de-vin, rouge violacé sur la poitrine et le haut des avant-bras.

— Qui nous indiquent quoi, Tancrède ?

Le jeune homme se rappela l'enseignement de son maître. Combien de fois avaient-ils trouvé des cadavres dans les fossés, le long des routes ? De pauvres gens morts de froid ou de faim, que son maître le forçait à examiner avant de leur donner sépulture chrétienne. Il songea à toutes ces fois où son maître lui avait posé cette question, devenue un jeu entre eux : « Qu'avez-vous vu ? »

Il répondit :

— Deux choses : qu'il était couché sur le ventre quand vous l'avez trouvé, mon maître, et qu'il est mort depuis au moins trois heures.

Un bref éclair de fierté brilla dans les yeux d'Hugues qui approuva :

— C'est cela, alors que vraisemblablement, et c'est pourquoi je voulais que vous regardiez le corps du sondeur avant, ces deux-là auraient dû mourir en même temps, tués de la main des pirates pendant l'assaut.

— Oui, approuva Magnus qui était, tout comme ses compagnons, suspendu aux lèvres de l'Oriental.

— Avant l'attaque, ils sont trois sur le knörr. Le sondeur, le mousse et Bjorn, qui les rejoint bien avant que ce ne soit son quart. L'enfant est exténué. Il a travaillé dur toute la journée, il y a eu la tempête et, malgré les ordres de Giovanni, Bjorn prend sa place et l'envoie se coucher. Il m'a dit avoir entendu sonner l'office de complies, à ce moment-là.

— Nous sommes donc loin de l'attaque des pirates, murmura Harald.

— Oui. Ensuite, nos assaillants escaladent le plat-bord, tuent le sondeur, essayent de trancher la gorge de Bjorn. Je le rejoins alors qu'il fait face à deux autres pirates. Nous allons nous battre quand retentit un appel, nos adversaires sautent par-dessus bord dans les eaux du fleuve et disparaissent.

— Vous voulez dire qu'à aucun moment ils ne sont allés dans le dortoir ?

— C'est cela.

— Mais qui… commença le pilote.

— Le mousse a donc été tué avant l'attaque.

— Ce qui semble impossible, à moins que l'assassin ne se soit dissimulé dans la pénombre du dortoir pendant l'attaque et ne soit parti ensuite à la faveur du remue-ménage qui s'est ensuivi.

— Mais pourquoi ?

— Patience. Revenons à notre mousse. Bjorn lui ordonne d'aller se coucher. Il va donc sans se faire prier à sa couche. Je le trouve torse nu sur le sol, face contre terre. Le cadavre est déjà froid et commence à se raidir. Pourquoi s'est-il déshabillé, à votre avis ? Tancrède ?

— Tout comme nous, il a essuyé la tempête et la pluie ensuite. Sans doute est-il trempé ? Il veut changer de chainse ?

— Les mousses n'ont guère autre chose que ce qu'ils portent sur eux. Il a travaillé dur, je crois plutôt qu'il aurait dû tomber tout habillé dans son branle et s'endormir d'un coup. Mais ce n'est pas le cas… Il obéit à l'ordre de quelqu'un qu'il connaît, ou qui le tient en respect avec une arme.

Sous la tente, le silence était total. Tout le monde retenait sa respiration, cherchant à comprendre où voulait en venir le Gréco-Syrien.

— Voyez-vous d'autres blessures, Tancrède ?

Le jeune homme examina les mains, les jambes, puis retourna le corps. Le dos était recouvert d'une plaie recouverte de sang coagulé.

— Nous y voilà, fit Hugues. Magnus, auriez-vous de l'eau ?

— Oui, répondit le guerrier en allant chercher un seau de cuir posé au pied de son lit de camp.

Avec délicatesse, l'Oriental nettoya la plaie, découvrant les entailles faites dans la chair.

Tancrède avait pâli. Il se rappelait soudain ce qu'il avait cherché, la description faite par le prévôt des meurtres de Barfleur, le coup mortel donné par une lame longue et fine comme celle qui avait frappé P'tit Jean.

La bête de Barfleur…

Hugues demanda aux quatre hommes d'approcher. La lueur des flammes éclairait des lettres creusées dans la chair. Les trois lettres : V R S

— Qu'est-ce que c'est que ça ? s'exclama Pique la Lune.

— Ce que veulent dire ces lettres, nous ne le savons pas encore, répondit Hugues. Par contre, nous allons devoir faire face non seulement aux pirates et à un traître, mais aussi à un assassin de la pire espèce. Un tueur d'enfants.

— Le loup de Barfleur ! s'écria Harald. Je me souviens, on en parlait à l'auberge. Les gens pensaient même que c'était le chien du prévôt !

Le stirman haussa les épaules et ajouta :

— Les chiens ne tuent pas avec une lame !

— Non, dit Hugues.

Puis, il leur raconta tout ce qu'il savait sur les meurtres. L'Orcadien cracha par terre.

— Qu'un homme fasse ça de sang-froid ! C'est un lâche. Il mérite la mort !

— Et si l'assassin et le traître étaient une seule et même personne ? demanda soudain Tancrède.

— C'est possible, mais je ne le crois pas.

— Pourquoi Eudes ne m'a-t-il pas expliqué tout cela ? s'interrogea le stirman.

— Le prévôt n'était sûr de rien. Mais maintenant, il n'est plus temps de douter. Celui qu'on surnomme le loup de Barfleur est parmi nous !

37

Les tambours de guerre résonnaient. Un battement sauvage et rauque qui portait loin et qui couvrait l'appel de la cloche de l'abbaye. Des fagots formant une large plate-forme s'empilaient à la place du camp de toile. Tout autour étaient disposées des pierres dessinant la forme de l'esnèque, de larges branches figurant les rames. Le vaisseau de pierre était prêt à lever l'ancre pour l'au-delà.

Les guerriers fauves, vêtus de leurs habits noirs, les haches dans le dos, les visages et les mains noircis à la suie, faisaient cercle, chantant en norrois. Derrière eux s'étaient rangés les marins de l'esnèque, Harald, Knut, Hugues et Tancrède. Le roulement s'était tu. Tous s'écartèrent pour laisser passer quatre hommes portant les cadavres sur leurs boucliers. Ils pénétrèrent à pas lents dans l'enceinte de pierres et les déposèrent sur le bûcher.

Les tambours reprirent, plus fort encore, et Magnus le Noir s'approcha. La lueur du flambeau qu'il tenait à la main se reflétait sur le bronze du casque viking qui enserrait son crâne et recouvrait l'arête de son nez. L'Orcadien portait autour du cou un torque, insigne de son rang, et une broche émaillée fixait son manteau à l'épaule droite.

Après s'être incliné devant lui, l'un des guerriers saisit la torche et la posa sur les fagots aux pieds des défunts.

Tout d'abord il ne se passa rien, puis le bois se mit à craquer, des étincelles coururent sur les branches, et des flammèches rouges. Les battements des tambours devenaient plus rapides.

Tancrède avait l'impression que son cœur sautait dans sa poitrine au rythme de cette mélopée sauvage. À travers les fentes du masque, les yeux de Magnus fixaient les cadavres. Il leva les mains. Les flammes se levèrent d'un coup comme une vague de cent ans, léchant les cadavres, les effaçant du monde des vivants pour les porter d'un coup au royaume des morts. Magnus improvisa un chant sur la mort de ses hommes et déclama une strophe dont le vent emporta les singulières paroles.

Comme en répons à cette singulière cérémonie, la cloche de Maillezais résonna sur les marais et les prairies. L'abbé faisait donner l'office des morts avant d'enterrer les corps qui lui avaient été confiés.

Malgré la chaleur intolérable du feu dont les flammes montaient si haut qu'on les voyait de la haute mer, Magnus resta le dernier près du bûcher incandescent, contemplant les formes noircies avant de souffler dans son cor pour donner le signal du départ. Une odeur de chair grillée flottait dans l'air. Bien des heures plus tard, la fumée était encore visible de l'embouchure.

Les deux bateaux regagnèrent la haute mer et, longeant les côtes aux falaises basses, filèrent vers La Rochelle.

Une multitude de barques de pêche et de galées croisaient dans ces parages. À tribord se dessinait l'île de Ré. Ils longèrent la seigneurie de Laleu, dépassèrent le port du Plomb, puis obliquèrent vers l'entrée de la rade. Les chenaux d'entrée du port de La Rochelle étaient peu profonds et Pique la Lune dirigeait la manœuvre. Les ailes blanches des moulins succédaient aux marais salants.

Comme souvent après les grandes tempêtes, le soleil étincelait sur les vagues et le ciel était d'un bleu de glace.

Hugues avait rejoint le Lombard à bord du knörr pour la fin de la traversée. Il se promenait sur le pont, l'air songeur, quand Eleonor s'approcha de lui.

— Le bonjour, sire de Tarse.

L'Oriental s'inclina.

— Bonjour, damoiselle de Fierville.

— Nous approchons ! Je suis impatiente de découvrir cette nouvelle ville, fit la jeune fille dont la voix vibrait d'excitation contenue.

— Auriez-vous déjà oublié les épreuves que nous venons de traverser ? demanda gravement l'Oriental.

— Non, messire, non, protesta-t-elle. Je n'ai rien oublié. Mais je vis aujourd'hui et maintenant si intensément ! Vous autres, les hommes, avez l'habitude des voyages et des guerres de toutes sortes. Vous ne pouvez imaginer la vie de vos compagnes, de vos sœurs ou de vos mères, recluses entre les murs de leur manoir. Je n'ai quitté Fierville qu'une fois, pour aller à Caen. Et là, en quelques jours, je découvre le monde… C'est si beau, messire ! Je voudrais comme le poète Wace pouvoir le chanter.

Puis, elle ajouta, et sa voix s'étrangla :

— Et je me demande comment je ferai pour vivre à nouveau enfermée.

Hugues était resté impassible, observant Eleonor de son regard sombre. Elle en prit soudain conscience et demanda :

— Vous pensez que je suis bien folle de parler ainsi ?

— Non.

— Pardonnez-moi, je m'emporte, mais ce n'est pas après vous. Je suis heureuse de vous voir. J'avais plutôt l'impression que, ces derniers temps, vous m'évitiez.

— Un proverbe arabe dit : « Ne reste jamais en tête à tête avec une femme qui ne soit pas la tienne, même si tu as l'intention de lui lire le Coran. »

Eleonor se tourna vers le large afin que l'Oriental ne puisse la voir s'empourprer.

— Plus sérieusement, je suis venu à bord, damoiselle, pour plusieurs raisons. L'une d'elles étant de vous mettre en garde. Mais d'abord, poursuivit Hugues, m'autorisez-vous à vous poser une question ?

— Je vous en prie, fit-elle.

— Connaissiez-vous le sire d'Avellino avant de monter sur ce bateau ?

— Quelle drôle de question ! Mais non, je ne le connaissais pas. C'est un homme fort aimable au demeurant et, surtout, il connaît celui qui sera mon époux.

— Expliquez-vous.

— Vous vous souvenez, je vous avais dit que je partais en Sicile rejoindre mon promis…

— Je m'en souviens.

— Mon futur époux est le seigneur Sylvestre de Marsico.

Le visage de l'Oriental ne trahit aucune émotion. Pourtant, sans jamais l'avoir rencontré, il avait entendu parler du fiancé d'Eleonor. Un homme influent que les intrigues de palais ne rebutaient pas, bien au contraire, et qu'il voyait mal épouser une femme comme elle.

Mais en ces temps rendus difficiles par la succession de Roger II, le royaume de Sicile comptait ses alliés et il devait être de bon ton dans la noblesse sicilienne de renforcer les liens avec le duché de Normandie.

— Un proche de Guillaume Ier, murmura-t-il.

— Oui, répondit la jeune fille. Le sire d'Avellino est de ses amis et c'est à ce titre qu'il est venu me parler. J'avoue…

Elle s'interrompit.

— Continuez.

— Vous allez me trouver ridicule. Mais je n'ai jamais vu le sire de Marsico, et rencontrer quelqu'un de son entourage m'a fait du bien. Personne ne m'avait jamais parlé de lui. Je ne savais pas même la couleur de ses yeux ni celle de ses cheveux… Vous devez penser que ce sont là futilités bien féminines.

— Il y a dans les soucis des femmes des choses dont les hommes devraient se préoccuper plus souvent, damoiselle.

— Ce ne sont pas des paroles que l'on entend souvent dans la bouche des hommes, messire. Mais je ne vous parle que de moi. Pardon. Je vous écoute.

— Ce que j'ai à vous dire doit rester entre nous. Il y aurait grand danger à vous confier à qui que ce soit d'autre que Tancrède ou moi. Vous souvenez-vous de ce qui s'est passé à Barfleur avant notre départ ? Ce qui a poussé le prévôt Eudes à vous confier son chien ?

— Mon Dieu, oui ! Bien sûr, répondit la jeune fille. Cette horrible affaire de meurtres.

— Il me faut votre promesse que vous ne parlerez de ceci à personne, pas même au sire d'Avellino.

— Mais enfin, qu'avez-vous contre lui ? Vous m'en dites trop ou pas assez !

Il y avait à nouveau de la colère dans ses yeux bleus.

Hugues hésita, puis finit par demander :

— Vous a-t-il dit que nous nous connaissions depuis longtemps ?

— Non. Il vous ignore. De façon trop ostensible d'ailleurs. Je n'ai pas pu ne pas remarquer à quel point il s'arrangeait pour vous éviter, vous et Tancrède.

— Alors sachez qu'après avoir été longtemps frères d'armes, nous sommes devenus ennemis, lui et moi. Il y a entre nous bien des cadavres et je sais qu'il y en aura d'autres. Je ne peux vous en dire davantage, pas maintenant.

— Vous me laissez donc juge.

— J'ai confiance en votre droiture, damoiselle de Fierville.

— Vous êtes un drôle d'homme, Hugues de Tarse. À la fois si réservé et si direct. Je garderai le silence. Bartolomeo d'Avellino ne saura rien de cet entretien, ni quiconque d'autre d'ailleurs, je vous en fais la promesse.

— Merci. Il faut que vous sachiez que l'assassin de Barfleur est parmi nous.

Eleonor pâlit.

— Sur le knörr ?

— Ou sur l'esnèque. C'est la première chose que vous deviez savoir.

— Il y en a donc une seconde, aussi terrible que la première ? Mais, vous voulez dire que le mousse…

— A été tué comme les enfants de Barfleur.

La jeune fille avala sa salive. Hugues reprit :

— Nous avons des pirates à nos trousses, vous l'avez vu, et, à mon sens, ils ne renonceront pas. Ils sont menés par un homme dont nous ne connaissons pas le visage, qui porte un manteau gris et est armé d'une arbalète. Vous vous souvenez de la ruse employée par les Grecs pour avoir raison de la ville de Troie, le fameux présent d'Athéna ?

— Le cheval de Troie. Oui, bien sûr.

— Je suis sûr que nous avons le nôtre à bord. Il y a un traître et, grâce à lui, les pirates nous suivent sans difficulté.

Le silence retomba entre eux, le visage de la jeune fille était grave.

— Je ne m'attendais pas à tout cela.

— Moi non plus, je vous l'avoue, c'est pourquoi j'ai besoin de votre aide. Il me faut des alliés sur ce bateau.

— Que dois-je faire ?

— Vous n'hésitez pas beaucoup, remarqua Hugues.

— Pourquoi hésiterais-je, messire ?

Son regard était résolu.

— Promettez-moi d'abord de vous protéger et surtout de garder votre chien avec vous. Il y a parmi les rameurs un homme sur lequel vous pouvez compter. Son nom est Bjorn de Karetot. Regardez, c'est l'homme au troisième rang.

Le visage de la jeune femme s'éclaira.

— Oh, mais je le connais, s'exclama-t-elle, c'est celui qui assomme les blessés !

— Que dites-vous ?

Eleonor lui expliqua les mésaventures du rameur qu'elle avait soigné avant de le confier à l'infirmier de l'abbaye.

— En cas de danger, si ni moi ni Tancrède ne sommes là, ayez recours à lui et uniquement à lui.

— Bien, messire.

— J'ai besoin que vous observiez ce qui se passe autour de vous et que vous me signaliez ce qui vous paraîtra étrange.

— Je le ferai. Messire ?

— Oui ?

182

— L'autre jour, Tancrède m'a raconté l'agression dont vous aviez été victimes à Barfleur. Je l'ai rapprochée d'un événement qui s'est produit alors que j'étais à l'auberge et dont je n'ai parlé à personne jusqu'à présent. J'étais dans ma chambre, c'était juste avant que je ne vous ouvre.

Hugues se souvint de son propre étonnement en se trouvant face à la jeune fille, de ses grands yeux bleus écarquillés d'étonnement, de ses vêtements en désordre, de ses petits pieds nus sur le plancher…

— J'ai entendu un long sifflement, continua Eleonor, et quelque chose est tombé dans la venelle derrière l'auberge. Une bourse qu'un homme a prestement ramassée avant de s'en aller en courant. Cela avait été jeté de l'une des chambres, mais je n'ai pas réussi à savoir laquelle. C'est quand Tancrède m'a parlé des deniers que je me suis souvenue de cet incident. Cela peut-il vous aider ?

— Sans doute.

— Alors j'en suis contente et, dorénavant, je vous promets d'observer encore davantage ce qui se passe à bord. Mais si ce monstre s'en prend aux enfants, il reste deux mousses à bord, Bertil et le Bigorneau, ne faudrait-il pas les protéger ou tout au moins les avertir ?

— J'y ai pensé, mais ceci n'est pas pour vous. J'en parlerai à Bjorn.

La trompe du port répondait à celles des deux navires. Au loin carillonnaient les cloches de Notre-Dame-de-Cougnes dont ils apercevaient le clocher pointu. Bigorneau, assis sur une futaille, marmonnait des mots sans suite.

— Il faut que je vous laisse, fit soudain Hugues.

— Messire de Tarse !

— Oui ?

— Soyez prudent, je vous prie ! Et promettez-moi de ne plus observer avec tant de rigueur les proverbes arabes.

Eleonor avait détourné le visage, contemplant les remparts de pierre blanche et les barques qui les accompagnaient. Le knörr dépassa les moulins templiers signalant l'entrée de l'étier du Lafond. Il longeait maintenant l'îlot du Perrot et entrait dans le havre de La Rochelle.

Il accosterait bientôt au quai de la Grande-Rive, non loin de l'esnèque dont les marins, là-bas, nouaient déjà les filins dans les anneaux de port.

LES « DAMES » DU BOURDEAU

38

Hugues s'était approché du Bigorneau qui, perché sur sa barrique, contemplait les manœuvres d'accostage en marmonnant. Un peu de bave souillait son menton imberbe et, par instants, ses yeux roulaient dans ses orbites. L'enfant était terriblement maigre, il avait le cheveu rare et son visage disgracieux était déjà celui d'un vieillard.

— Le bonjour, le Bigorneau.

L'autre continua à grommeler en se tordant les mains. Les mots « peur », « Louis » et « mort » s'enchevêtraient. Il ne semblait pas avoir entendu Hugues ni même s'être rendu compte de sa présence. L'Oriental referma la main sur son épaule.

— Le Bigorneau, je te parle !

Le gamin sursauta si fort qu'il faillit dégringoler du tonneau.

— N'aie pas peur, dit doucement Hugues.

— Pas... peur, protesta l'enfant en se rasseyant tant bien que mal.

— Que disais-tu ?

— J'sais pas... Rien du tout. C'est mon ventre qui crie. J'ai faim.

— N'as-tu donc pas mangé ce matin avant de partir de Maillezais ?

— Restait plus rien pour moi à la cambuse et le chat Grimoire m'a volé le talon de jambon que j'avais pris aux cuisines de l'abbaye, avoua l'autre d'un ton pitoyable.

Hugues fouilla dans sa sacoche.

— Allons, laisse-moi regarder. Je crois que j'ai quelque chose là-dedans, fit-il. Veux-tu un peu de viande séchée ?

Il avait pris un linge soigneusement plié et en sortit une lanière de bœuf qu'il tendit au mousse. Celui-ci s'en empara et la dévora avec voracité.

— Z'en avez d'autres ? dit-il alors qu'il mâchait encore.

— Non, mais je peux faire mieux.

— Comprends pas.

— Un vrai repas dans une rôtisserie, ça te dirait ?

Les yeux du gamin brillèrent puis, soudain, son visage s'assombrit et il murmura :

— Y fera quoi le Bigorneau en échange ?

— On parlera, c'est tout.

Le gamin hocha la tête et s'enferma dans un silence qui se prolongea un moment avant qu'il ne relève la tête et grommelle :

— J'veux bien. Mais vous êtes qui ? J'vous ai jamais vu.

— Je suis sur l'autre bateau. Le navire de guerre.

— Ah.

— Mais répète-moi d'abord ce que tu marmonnais tout à l'heure ?

— J'parlais de LUI.

Alors qu'il murmurait ces mots, la peau de ses bras se hérissa et il se mit à trembler. Hugues s'assura que personne ne les observait et demanda, baissant le ton, lui aussi :

— C'est qui, LUI ?

Le Bigorneau haussa les épaules.

— Celui qui se promène la nuit, tiens ! Pourquoi vous êtes à bord du knörr ?

— Pour parler avec toi.

— Avec moi !

Il eut une mimique d'étonnement et un filet de bave s'écoula de sa bouche entrouverte.

— Oui.

— Personne y veut parler avec moi. Jamais. Le capitaine dit que je suis bon à rien. Mais c'est pas vrai.

— Je sais, le Bigorneau. Damoiselle Eleonor m'a dit du bien de toi. Elle t'aime beaucoup.

— La damoiselle... Moi aussi, j'l'aime bien, savez... Elle est douce. Mais pas son chien, non, lui, j'l'aime pas. L'autre jour, elle m'a donné un bout de pain et l'était pas rassis. C'était sa part à elle. Puis, l'est jolie à regarder, ses yeux surtout.

Une expression rêveuse passa sur le visage du garçon.

— Je suis bien d'accord avec toi, le Bigorneau. Si nous revenions à ce que tu me disais.

— Qu'est-ce que je disais ?

— Tu me parlais de LUI. Tu le connais ?

— Ça oui ! Y nous regarde, y nous suit, il est toujours là, comme une ombre. L'a tué Louis déjà, j'l'ai vu.

Le gamin se remit à trembler et à regarder autour de lui, puis il ajouta dans un murmure :

— Bientôt, ça sera le tour au Bertil. Y fait son malin, Bertil, y se croit fort, mais LUI est plus fort. J'ai essayé de le prévenir, mais y m'envoie balader.

— Louis, tu as dit « Louis », je croyais que le gamin qui était mort s'appelait P'tit Jean ?

— Oui. L'a tué aussi, mais je l'ai point vu faire. Avec Bertil, on dormait à terre c'te nuit-là.

— Tu veux dire qu'il a déjà tué un autre mousse nommé Louis ?

— C'est ce que je dis. L'était gentil, le Louis, faisait le travail à ma place et, en plus, me donnait à manger. J'l'aimais bien. LUI m'a pas vu mais j'étais là, caché quand il l'a tué.

— Mais qui est LUI ?

Un des rameurs s'approchait, portant un rouleau de cordage à l'épaule. Le mousse, qui allait répondre, se tut. Le marin passa à côté d'eux et s'éloigna. Des passagers venaient de leur côté.

— Tout va bien, ne parlons plus de ça, fit l'Oriental. Je vais te laisser.

— C'est vrai que vous allez m'emmener à une rôtisserie ? Et je pourrai manger ce que je veux ? Même du gigot ?

— Oui, tu pourras. Tu as la permission d'aller à terre ?

— Ça oui, c'est bien la seule chose que j'ai. Savez, j'suis jamais allé dans une rôtisserie, moi !

Le Bigorneau n'avait plus l'air si endormi qu'à l'accoutumée. Même sa voix avait changé, et Hugues songea qu'il n'était sans doute pas aussi simple d'esprit qu'il le voulait paraître.

En faisant l'idiot, il travaillait moins que les autres et c'était sans doute tout ce qu'il attendait de la vie. Un toit, à manger, et pas grand-chose à faire, même si, d'après ce que leur avait dit Eleonor, les marins le prenaient pour souffre-douleur. Hugues doutait que sa place fût si enviable.

Le bateau touchait le quai. Les marins lançaient les amarres. Comme à Saint-Hélier, la foule se précipitait pour accueillir les nouveaux venus.

Hugues dirigea son regard vers les pauvres maisons de torchis et de bois flotté accotées au pied des remparts de pierre. Il désigna l'une d'elles au mousse.

— Bigorneau, regarde ! Tu vois cette taverne avec l'enseigne de bois peinte de rouge ?

Le mousse se tourna dans la direction que lui indiquait l'Oriental. Il plissa des yeux puis finit par acquiescer :

— J'la vois.

— Nous nous y retrouverons vers l'heure de midi. Je t'attendrai devant. D'ici là, sois prudent et reste en compagnie. Évite l'ombre.

— Faudrait encore que je sache qui c'est, mon sire. Sa figure, elle était toujours cachée.

— Alors, méfie-toi de tous, sauf de Bertil.

Hugues réfléchit, et ajouta :

— Connais-tu un rameur nommé Bjorn ?

— Le nouveau qu'est monté à Barfleur ? Oui.

— Tu peux avoir confiance en lui comme en moi.

Le gosse haussa les épaules. La bave ne coulait plus de ses lèvres et son regard était droit :

— Savez, messire, si j'suis encore en vie, c'est qu'j'ai confiance en personne… Pas même en vous !

— Alors, continue !

39

Ils avaient déjà bu quelques cruchons de vin et de bière et dévoré une demi-douzaine de volailles. La rôtisserie des *Trois Marteaux* était renommée et les clients s'y bousculaient. Assis à une table, Giovanni évoquait la Sicile avec émotion et Tancrède l'écoutait, émerveillé d'entendre parler du pays où il était né.

— Et Palerme, c'est beau ? demanda-t-il enfin.

Giovanni partit d'un grand rire.

— Ce n'est pas beau, Tancrède, c'est magnifique ! s'exclama-t-il. Imagine la mer d'un bleu si intense que tu perdrais tes yeux à la contempler. Le soleil comme jamais tu ne l'as connu, la chaleur qui vibre au-dessus des dallages de marbre des palais, les palmeraies, les fontaines qui chantent… Imagine des collines couvertes d'oliviers, de figuiers et d'amandiers. Le parfum des citrons, des oranges, tous ces fruits de soleil. Tu n'as jamais mangé un citron ?

— Non.

Un sourire étira les lèvres du Lombard.

— En as-tu seulement vu ?

— Non.

— Et si je t'en donnais un, ici et maintenant ?

— Tu plaisantes ?

— Pas du tout. Tu vas voir.

Et le Lombard sortit d'un petit sac garni de paille un fruit ovale d'un jaune éclatant. Tancrède tendit la main, effleurant du bout des doigts la peau grumeleuse. Émerveillé, il comprit que c'était le fruit dont il rêvait et qui, souvent, se mêlait aux visions qu'il avait de sa mère.

— Un citron ! murmura-t-il avec l'impression de toucher son rêve.

Ce fruit d'une couleur si vive était la première preuve de l'existence de son pays. Quelque chose qu'il avait vu étant enfant. Qui était resté dans sa mémoire sans qu'il puisse le nommer. Un lien entre lui et Anouche. Sans doute sa mère lui en offrait-elle ? Pendant un court instant, il imagina même que c'était elle qui le lui avait tendu.

— Eh bien, qu'est-ce qui t'arrive ? Tu es tout pâle ! Prends-le, et sens.

Tancrède obéit, approchant le fruit de son visage. Une odeur qu'il reconnut aussitôt monta à ses narines.

— J'en emmène toujours avec moi, fit le marchand. Ils restent bons malgré les voyages et le temps écoulé. Tiens, donne.

Le Lombard sortit son couteau, trancha le fruit en deux et en offrit la moitié à Tancrède.

— Goûte !

Sans hésiter le jeune homme mordit dans la chair jaune… et fit la grimace.

— Alors, qu'en penses-tu ? demanda Giovanni.

— C'est terrible, mais j'aime ça ! fit Tancrède, les larmes aux yeux tant la chair et le jus étaient acides.

Ce goût aussi, il se le remémorait, cette sensation d'acidité insupportable et délicieuse.

Le Sicilien remplit à nouveau leurs godets. Son teint s'était empourpré.

— Garde le reste. J'en ai d'autres à bord.

— Pourquoi es-tu parti de là-bas ? demanda le jeune homme.

— C'est une longue histoire, fit Giovanni dont le visage s'assombrit.

Puis, avec un sourire :

— As-tu assez mangé ?

— Ça oui.

— Alors, je te propose d'aller dans un lieu plus raffiné que celui-ci. On y sert un hydromel digne des dieux.

Après avoir réglé l'aubergiste, ils se levèrent en titubant et sortirent, se tenant par le bras pour marcher. Tancrède chantait à tue-tête :

> *La sirène en mer hante*
> *Contre tempête chante*
> *Et pleurë en beau temps,*
> *Car tel est son talent*[1]...

— Tu la connais ? demanda-t-il.

Le Sicilien acquiesça et reprit en chœur avec lui :

> *Et de femme a faiture*
> *Jusques à la ceinture*
> *Et les pieds de faucon*
> *Et queue de poisson...*

Ils éclatèrent de rire et poursuivirent leur chemin, heurtant au passage un bourgeois qui les couvrit d'injures. L'air frais faisait tourner la tête de Tancrède comme un vin jeune. Il se sentait bien et aimait la compagnie du Sicilien. L'homme était vif, généreux, fantaisiste, s'exclamant à propos de tout, si différent de son taciturne maître, et puis, il venait de là-bas.

Une première taverne les arrêta.

— *La Truie qui file !* s'exclama le Sicilien. Ils ont un cidre *moratum* ! Viens, entrons juste boire un pichet !

Puis une seconde :

— *La Licorne*, bredouilla Giovanni. Tu peux pas venir à La Rochelle sans t'arrêter ici.

Ils vacillaient en ressortant.

1. Philippe de Thaon, *Bestiaire* (début du XIIᵉ siècle).

— Tu bois bien, remarqua gravement le Sicilien. Allez, viens, c'est pas là qu'est l'hydromel dont je te parlais tout à l'heure.

— Toi aussi, tu bois bien. Faudrait pas qu'on retourne au bateau ?

— Pour quoi faire ?

— Je sais pas, avoua Tancrède dont les idées s'embrouillaient.

Le Sicilien lui donna une bourrade.

— Tu es mon ami, déclara-t-il l'air grave, titubant sur ses jambes.

— Toi aussi ! s'exclama le jeune homme. Et je te dois la vie.

— Nous devons faire le serment du sang, fit le Sicilien en sortant son couteau et en s'entaillant le pouce d'un geste vif. À toi !

Tancrède saisit le couteau et n'hésita pas. Le marchand appliqua sa plaie contre la sienne.

— Maintenant, nous sommes frères de sang ! déclarat-il. À la vie, à la mort ! Allez, viens, il faut fêter ça !

Ils marchèrent un moment en silence, puis Giovanni reprit :

— J'ai deux frères, c'est pire que les sept plaies d'Égypte. Quant à mon père... Il n'y a pas pire tyran que lui. On devrait pouvoir choisir sa famille, tu crois pas ?

— Tu ne m'as pas dit pourquoi tu avais quitté la Sicile.

— Pour être tranquille, tiens ! Mais non, pour la puissance et l'argent, bien sûr. Tu n'imagines pas ce que cela représente, ces cargaisons. Ma famille est une des plus riches de Syracuse, peut-être de toute la Sicile. Un jour, tu sais, mes navires iront là où personne n'est jamais allé. Et alors, je serai le maître... Même mon père devra s'incliner devant moi.

Voyant l'expression de son compagnon, le marchand éclata de rire.

— Nous, les gens du Sud, on parle trop et on joue la tragédie ! Pas comme toi ou ton maître. La tragédie !

C'est pour ça que j'aime les Grecs. Ils ont tout compris de la nature humaine.

Giovanni l'entraîna dans des ruelles étroites bordées de maisons de torchis. Il semblait connaître la ville comme sa poche.

Devant un abri de bois flotté était assise une vieille femme aux vêtements en loques. Le visage noir de crasse, elle chantait une comptine :

> *Pain d'épice. Ma nourrice. Tour de bras.*
> *Nous y voilà.*

— Vous auriez pas une piécette pour une pauvresse, mes seigneurs ? fit-elle en tendant vers eux un moignon de main.

Le Lombard lui jeta une pièce.

— Merci mon seigneur. Merci.

> *Dormille, dormait, Pendille, pendait...*

La voix se fit lointaine. Un forgeron frappait sur son enclume. Tancrède ne savait plus où il était.

— Tu es déjà venu ici ? demanda-t-il alors qu'ils obliquaient dans une étroite venelle puant l'urine et les ordures.

— Oui, plusieurs fois. D'abord avec mon frère aîné, ensuite seul. Pour nous, les marchands, La Rochelle est le plus gros port après Bordeaux. Mais, dis donc, tu n'as plus les jambes très fermes ! Moi non plus d'ailleurs, remarqua-t-il avec un nouvel éclat de rire. Heureusement, on arrive.

Une robuste maison de pierre se dressait sur une placette où poussait un chêne vert. Tout autour des appentis de bois, des écuries, des échoppes.

Le Sicilien frappa à la porte.

— Qu'est-ce donc que ce lieu ? demanda Tancrède. Je ne vois pas d'enseigne.

— Si fait, mon ami, regarde bien.

Et effectivement, à l'un des angles, se balançait un cuveau de bois et une brosse. Le jeune homme hocha la tête. Il était trop ivre pour objecter quoi que ce soit et la porte venait de s'ouvrir sur une servante aux vêtements si légers qu'il écarquilla les yeux.

40

Pendant ce temps, sur le port, devant la taverne à l'enseigne rouge, Hugues attendait toujours le Bigorneau.

— Eh bien, messire, que faites-vous là ? demanda une voix derrière lui.

L'Oriental se retourna et se trouva nez à nez avec le pèlerin de Compostelle.

L'homme, son grand bâton à la main et son balluchon sur le dos, l'observait de ses petits yeux noirs.

— J'attends un ami.

— C'est vous qu'avez donné l'alerte, y paraît, hier au soir !

— C'est moi.

— On vous doit une fière chandelle. Et moi qui m'étais promené autour du camp ! J'arrivais pas à dormir. Mais j'ai rien vu et je suis retourné m'effondrer sur ma paillasse. Quand je me suis réveillé tout était fini ou presque. Les tempêtes, ça me tourneboule l'intérieur, pas vous ? Sans vouloir être indiscret, vous êtes d'où, messire ?

— De partout, maître Richard, de partout.

— Ah…

L'homme fit mine de se retirer.

— Et vous, maître Richard, le voyage par mer est achevé, je crois ?

— Oh, ma foi, cela dépend si je retrouve mes compagnons de route à La Rochelle. Sinon, j'ai demandé à messire Giovanni la possibilité de continuer avec vous.

Hugues s'étonna :

— Vous seriez le premier pèlerin de Compostelle que je connaisse à éviter le chemin et ses étapes. Quel pardon Dieu pourra-t-il vous accorder si vous évitez les pénitences qu'Il vous a données ?

— C'est que ma faute n'est pas bien grande, messire, répondit l'homme avec un fin sourire. Il suffirait de quelques toises à genoux pour qu'Il me pardonne.

— À se demander pourquoi Il vous envoie en pèlerinage !

— Il faut songer aux fautes à venir, messire. Qui dit que je ne pécherai pas demain ? Et puis, qui osera affirmer qu'un voyage par mer n'est pas une pénitence en soi ? Tempêtes, mal de mer, attaques de pirates… Il y a là pires épreuves que celles rencontrées sur les chemins. Vous ne croyez pas ?

— Vous êtes un homme surprenant, maître Richard. Vous ne m'avez pas dit quelle spécialité vous exerciez à Caen.

— Le drap, messire. Je suis drapier. Un bien beau métier, croyez-moi. Bon, je dois vous laisser, je vais voir si mes compagnons sont en ville. Que Dieu vous ait en Sa sainte garde.

— Vous de même, maître Richard.

La silhouette du pèlerin disparut bientôt dans la foule. Hugues attendit encore un moment et se décida à retourner au bateau. C'était l'heure du repas et les marchands ambulants s'activaient. Les uns portaient des cageots attachés au col, les autres poussaient leurs charrettes.

— *À la fraîche, à la fraîche in routi !* criait une marchande de sardines.

— *Et des sol' des sol' et des mul' !* criait une fillette dont les poissons s'alignaient sur une carriole à bras.

— *Qui veut quartier d'ignâ !* criait un jeune gars qui faisait rôtir sa viande d'agneau sous les yeux des passants.

Une bonne odeur de graisse grillée montait. Une gamine s'approcha d'Hugues.

— *Et des bons fromages, mes enfants, n'en voulez-vous ?* Messire, un fromage frais ?

— Non merci, petite, répondit l'Oriental en poursuivant son chemin.

Des gabarres descendaient le canal de Maubec et accostaient à la Grande-Rive. Il évita un char tiré par des bœufs et se fraya un passage jusqu'au knörr.

— On ne passe pas ! Ah, c'est vous, messire ! Allez-y, s'écria le marin de garde en s'écartant de la passerelle. Y en a du monde ici ! Et des gamins qui veulent monter, mais le capitaine est formel : pas d'étranger à bord !

Le pont était désert à l'exception du capitaine Corato qui se tenait debout à l'avant avec un de ses matelots. Le nez dans ses parchemins, il achevait le décompte des marchandises à décharger ou à entreposer.

— Hola, capitaine !

— Oui, messire ? répondit Corato, qui semblait d'humeur maussade. Que puis-je pour vous ?

— Est-ce que vos deux mousses sont encore à bord ?

— Mes deux… Non, ils sont à terre. Mais pourquoi vous me demandez ça ? demanda-t-il, suspicieux.

— Rassurez-vous, capitaine, répondit Hugues, je ne leur veux point de mal. Avec ce qui s'est passé, je m'inquiétais seulement de leur sécurité.

Corato hocha la tête et fit signe au marin qui travaillait à ses côtés de les laisser seuls.

— Moi aussi, faut avouer, messire. C'est d'ailleurs pour ça qu'ils sont à terre ensemble. Je leur ai ordonné de ne pas se séparer et Bertil est parti avec le Bigorneau. J'ai pas envie de ramasser un autre cadavre.

— Sage précaution.

Le petit homme fronça ses épais sourcils, l'air encore plus soucieux qu'à l'accoutumée.

— Je suis un homme ordonné, messire, protesta-t-il. Tout doit être à sa place et croyez que dans ce genre de voyage, ce n'est pas chose facile. En plus, va falloir que je trouve du monde ! Harald aussi d'ailleurs. Avec tout ça, on n'a plus assez de gars sur les bancs de rame.

Regardez, moi j'ai perdu deux hommes et un mousse et j'ai été obligé de laisser un blessé à Maillezais.

— L'abbé fera peut-être un moine de votre rameur. Qui sait ? Et Dieu vous en saura gré.

— J'sais pas bien ce qui se passe, mais j'aime pas ça, bougonna Corato qui n'avait pas prêté attention aux paroles de l'Oriental. J'ai d'ailleurs envoyé une missive à ce sujet à mes maîtres.

— Vos maîtres... Que voulez-vous dire ? Giovanni n'est-il pas l'armateur ?

Le capitaine ne haussa pas les épaules, mais le ton était éloquent.

— Lui ! Non, messire, mon vrai maître, c'est le patriarche Della Luna et le fils aîné : Renato Della Luna. C'est avec lui que je travaillais avant, et c'est à lui que j'ai envoyé ce mot. Il est à Marseille et mon message devrait lui parvenir avant qu'il ne rembarque pour la Sicile.

— Giovanni Della Luna est sans doute un peu jeune pour une charge si lourde.

— L'âge n'a rien à voir là-dedans, grommela le capitaine, visiblement remonté contre son maître. Je n'ai jamais vu Renato ou son père dépenser leurs deniers dans les bouges ni chercher à esquiver les taxes de port. Et puis, ce désordre dans les marchandises... Tout est mélangé ! Je vous le dis, il n'est pas fait pour ce métier.

Le petit homme regarda autour de lui puis se pencha, parlant à voix basse :

— Puisque nous sommes tranquilles tous les deux, puis-je vous demander quelque chose, messire ?

— Bien sûr. Je vous écoute.

— Les marins parlent entre eux, savez. Et depuis la mort du petit... Croyez-vous que le meurtrier soit à notre bord ?

— Si je le savais, capitaine, il serait déjà livré au prévôt de cette ville.

— Moi je dis, et je suis pas le seul : celui-là, faut le passer par-dessus bord. Mérite pas autre chose que de finir dans le ventre des poissons. Dites-moi, c'est quoi ces histoires de traces sur le corps du gamin ?

— Qui vous a parlé de ça ?

— On cause. On cause, fit l'autre avec un air matois. Et paraît qu'en plus, y a un traître à bord ?

Hugues se contenta de hocher la tête, et Corato poursuivit :

— C'est pas bon, tout ça. Mais c'est possible, ces gars qui arrivent à nous suivre depuis si longtemps. Des diables ! Enfin, c'est à se demander, je suis superstitieux, moi ! Vous êtes d'où, messire de Tarse ? On est pays, peut-être ?

— Je suis d'Antioche.

— Et moi, de Byzance. Mais ma mère était grecque. Je préférais naviguer dans la mer intérieure, c'était chez moi là-bas, alors qu'ici, avec ces satanées marées... Avec toute cette histoire, mes gars commencent à se regarder de travers et cherchent le traître sur les bancs de nage.

— C'est pourquoi nous devons très vite trouver les coupables. À ce sujet, capitaine, j'avais une question à vous poser. Avez-vous eu un nommé Louis dans votre équipage ?

— Louis...

Le visage du capitaine se plissa.

— Non, je crois pas.

— C'était un mousse, insista l'Oriental.

— Ah oui, celui-là ! Je l'appelais la Sardine. S'est noyé.

— C'est arrivé quand ?

— Quand nous étions à Barfleur. Le petit dormait sur le pont et, un matin, on a trouvé son corps qui flottait dans le port. Mais c'était un accident. Ça c'est sûr. J'aurais jamais dû le prendre à bord, celui-là. Il avait peur de tout.

— Apparemment, il avait raison.

Le silence retomba entre les deux hommes. Le capitaine lorgnait vers les marchandises dont il devait achever le décompte quand Hugues reprit :

— Est-ce que vous pourriez me dire qui était déjà avec vous à Barfleur à ce moment-là ?

— Vous voulez dire avant le départ ? Je vais essayer. Giovanni et moi, bien sûr… Tout l'équipage, sauf Bertil et mon nouveau rameur, Bjorn. Mais je crois que vous le connaissez ?

— Oui.

— Giovanni s'est mis en tête d'en faire son second. L'a pas tort d'ailleurs, il est doué, puis sait écrire et lire. Pas comme la plupart.

— Est-ce que certains de vos passagers s'étaient déjà présentés pour l'embarquement ou vivaient à bord ?

— Attendez… Oui, maître Richard, le pèlerin. Il voulait pas payer d'auberge. En ville, il y avait aussi le poète Wace et le moine. Le petit Dreu, on l'entend pas, celui-là ! Pire qu'une ombre. Et le chevalier. Tiens, d'ailleurs, celui-là m'a annoncé qu'il nous quittait.

— D'Avellino ? s'étonna Hugues. Il est parti ?

— Oui. Il m'a même dit qu'on se retrouverait en Méditerranée. Ce qui m'a paru étrange.

— Il a pris ses affaires ?

— Un écuyer est venu le chercher avec deux destriers. Il a payé son solde et ils n'ont pas demandé leur reste. À l'heure qu'il est, ils ont dû quitter la ville.

— Bon, laissons celui-là. Je sais que Knut, Harald et leur équipage étaient à Barfleur tout comme Pique la Lune, Magnus et ses hommes.

— Donc tout le monde était là au moment…

— … des meurtres, compléta Hugues, hormis la jeune damoiselle et son serviteur, Tancrède et moi-même.

— On dirait, oui.

— J'aimerais connaître votre sentiment sur le pèlerin Richard. Il prétend être drapier à Caen.

— Je connais mieux mes gars que les passagers, savez. Ce Richard me plaisait pas trop, mais hier, dans la tempête, il a souqué ferme. Comme un homme. Alors…

— Alors votre estime pour lui est remontée. Je comprends…

— En revanche, ajouta Corato, il est pas assez gras pour un drapier, ça c'est sûr, et ses mains, vous avez vu ses mains ?

— Calleuses et marquées d'anciennes crevasses, répondit Hugues.

— Les drapiers, à part mesurer leurs coupons et encaisser, y font rien que de rester assis derrière leur étal.

— Il s'entend bien avec l'équipage ?

— Oui, il cause beaucoup. L'autre jour, le cuisinier s'est accroché avec lui car il gênait le travail de Bertil.

Le visage du capitaine changea de couleur :

— Vous croyez pas que c'est lui…

— Non, je ne crois rien, capitaine. Je vous remercie pour tous ces renseignements. Où en êtes-vous de la réparation de la vergue ?

— Knut a trouvé le bois qu'il fallait. Il est au chantier avec deux de mes gars. On pourra repartir demain avec la marée. Bon, va falloir que je retourne à mes comptes.

— Tous vos passagers sont à terre ?

— Oui. Même le moine.

— Savez-vous où est Bjorn ?

— En ville avec les mousses. Il s'entend bien avec Bertil…

Le capitaine s'arrêta net.

— On va plus pouvoir se regarder normalement. Euh, messire !

— Oui ?

— Répétez pas au sire Giovanni tout ce que je vous ai dit. J'étais en colère à cause de mes ballots de marchandises qui sont pas en ordre.

— Je ne vois pas à quelle conversation vous faites allusion, capitaine, répondit l'Oriental.

41

— Viens donc ! fit Giovanni en poussant Tancrède devant lui.

La fille s'écarta, non sans avoir frôlé d'une caresse le visage du jeune homme.

— Elle va pas te manger ! déclara le Lombard. Ce sont des étuves, pas une taverne. Nous y serons bien. Les filles y sont douces et l'hydromel meilleur qu'ailleurs.

Ils pénétrèrent dans une vaste pièce d'où partait un escalier de bois. Un feu brûlait dans une immense cheminée. Quelques filles aussi peu vêtues que la première attendaient là, allongées sur des coussins et des tapis. Elles se redressèrent en les voyant entrer, prenant des poses en pouffant et leur adressant des sourires langoureux et des œillades appuyées.

— La maison est propriété d'un évêque point regardant sur ses locataires, murmura Giovanni à l'oreille de Tancrède. Les clostrières y sont jolies et certaines fort jeunes.

— Les clostrières ?

— Ben oui, ces filles-là. Tu ne sors donc jamais ?

— Plus souvent dans les livres, avoua Tancrède.

— Ton maître veut te transformer en clerc, ou en moine ? L'éducation, c'est pas que dans les livres, mon ami. Il était temps qu'on se rencontre. C'est des filles en chambre. Elles louent chacune une pièce dans cette maison et c'est là qu'elles travaillent cloîtrées. Certaines aident aux étuves. C'est pas vraiment un bourdeau, mais y a quand même une puterelle qui dirige le tout.

Des tentures masquaient l'entrée de multiples pièces. Des relents de chaleur et d'humidité emplissaient l'air. L'une des filles s'était approchée de Tancrède et lui tournait autour en se déhanchant.

— Une étuve. C'est vrai qu'un bain me fera le plus grand bien ! déclara gravement Tancrède.

— Qui te parle de bain ? fit l'autre avec un grand rire. Regarde comme celle-là te fait des avances ! Mais enfin, si tu préfères qu'on t'échine le cuir dans un cuveau de bois, c'est ton affaire. Tu es mon invité. Tu auras tout ce que tu voudras, et même davantage.

Il se tourna vers une servante.

— Hé, toi ! Va chercher ta patronne et dis-lui que son amant préféré est de retour.

Tancrède vacilla et se rattrapa à une tenture. La salle bougeait presque autant que le pont de l'esnèque en pleine tempête. La fille était retournée près de ses camarades. Des râles de jouissance et des gémissements retentissaient derrière le tissu. Le jeune homme se redressa, non sans mal.

— Voilà ma promise ! s'exclama le marchand. N'est-ce pas qu'elle est belle ?

Tancrède cligna des yeux, se demandant si son compagnon n'était pas plus ivre que lui. La femme qui descendait l'escalier était si âgée qu'elle aurait pu être leur grand-mère à tous deux.

Son visage ridé était couvert de fards, ses seins lourds débordaient de son corsage lacé et ses fesses énormes tremblaient sous ses jupes. La vision du jeune homme se troublait de plus en plus. La puterelle s'était précipitée vers Giovanni qu'elle embrassa bruyamment sur la bouche avant de se tourner vers lui.

— Un nouveau ! Qu'il est joli ! fit-elle en écrasant si fort Tancrède sur sa vaste poitrine qu'il chercha son souffle.

— Mon frère, je te présente dame Guenièvre, la maîtresse de céans. Une femme grasse, moelleuse, donnante comme je les aime ! Elle te tirerait de l'amour d'une bûche !

— Ma dame, mes hommages, fit le jeune homme en se dégageant avec difficulté de l'étreinte de la tenancière.

Une vague nausée lui venait, et il ajouta d'une voix pâteuse :

— Si ça ne vous dérange pas, je voudrais prendre un bain.

— Quand y veut quelque chose... Faut pas le contrarier, Guenièvre. Fais tout ce qu'il demande, c'est moi qui régale.

— Allez m'attendre dans ma chambre, mon doux maître. Votre ami est en de bonnes mains.

Elle claqua des mains et un robuste serviteur jaillit de derrière une tenture. Sur un geste de sa patronne, il saisit Tancrède sous les aisselles et le porta à moitié vers une autre salle où s'alignaient des cuves de bois.

De la vapeur montait des cuveaux garnis de molletons. Deux bourgeois, de l'eau jusqu'au col, mangeaient des merveilles arrosées de miel blond et parlaient affaires tandis que des servantes, plus dénudées encore que celle de l'entrée, leur frottaient le dos.

— Elles vont bientôt s'occuper de vous, messire, déclara le serviteur en l'aidant à s'asseoir sur l'un des bancs de bois alignés le long du mur.

Tancrède ne s'aperçut même pas de son départ.

— J'ai trop bu, je crois, marmonna-t-il pour lui-même. Je ne devrais jamais mélanger le vin et la bière. Hugues me l'a déjà dit. Je vais me reposer un peu.

Il faillit basculer, se rattrapa au banc, allongea précautionneusement les jambes, puis posa la tête sur le bois et ferma les yeux.

42

La pénombre était venue. Les cloches de la ville n'allaient pas tarder à sonner le couvre-feu. Dans les rues patrouillaient les gens d'armes de la prévôté.

L'homme se hâta. Les ruelles bordées de maisons de torchis se succédaient. Enfin, il s'arrêta près d'une maison en bois flotté et frappa trois coups sur le vantail. La porte s'ouvrit aussitôt. Une pauvresse se tenait là, debout dans des relents de crasse et d'urine.

— Où est-il ? demanda l'homme dont on n'apercevait pas le visage, masqué par une capuche.

— La maison d'à côté, celle qu'a des volets clos, répondit la vieille.

— Ses parents ?

— À Laleu. Reviendront que demain. Il est seul.

L'homme tendit la bourse à la vieille et fit demi-tour. Elle referma. Elle fournissait souvent des enfants à des gens comme celui-là, des marchands de chair qui, après, les revendaient dans des bourdeaux ou les mettaient comme mousses sur des bateaux en partance.

Elle détestait ses voisins. Ils s'en sortaient mieux qu'elle et la femme, cette jument maigre, ne lui disait jamais bonjour. Pis, elle détournait la tête comme si elle sentait mauvais ! Elle avait rien contre le petit, c'était plutôt un brave, mais c'était plus facile de vendre l'enfant que sa saleté de mère !

Elle ouvrit la bourse et alla compter ses sous à la lueur de son feu, passant sa langue sur ses lèvres desséchées, posant une à une les pièces sur le sol de terre battue, les reprenant de sa main valide et les frottant dans les plis de sa robe avant de les ranger à nouveau.

Dans le chaudron cuisaient des têtes de poissons dont les yeux blafards la contemplaient. Elle repensa au gosse. La mer le formerait. Une fois il lui avait donné un quignon de pain. Elle haussa les épaules. Un jour, il deviendrait aussi mauvais que sa mère. C'était un service qu'elle lui rendait. La cuillère en bois allait et venait dans sa marmite. La vieille cherchait où cacher son trésor.

Après s'être assuré que nul ne venait dans la ruelle, l'homme frappa à la maison voisine.

— Qui va là ? fit une voix enfantine.

— Je suis bien chez Ar Pennec ?

La porte s'ouvrit sur un gamin tenant une lampe à huile.

— L'est pas là, mon sire. Qu'est-ce que vous lui voulez ?

— Tu vas pas me laisser dehors, petit. J'ai affaire avec lui et si tu es un garçon de confiance, je te laisserai l'argent que je lui ai promis. C'est ton père, Ar Pennec ?

— Oui. Entrez, entrez, fit le garçonnet en ouvrant le vantail.

L'homme se baissa pour passer le seuil et se retrouva dans l'unique pièce de la maison. L'endroit sentait le propre mais était exigu. Une paillasse pour les parents, une pour le fils, une table à tréteaux et trois tabourets, un coffre et un chaudron d'où montait une odeur de graisse de mouton et de fèves cuites.

— Asseyez-vous, fit l'enfant en avançant maladroitement l'un des tabourets sur lequel l'homme se laissa tomber.

— Quel est ton nom ?

— Gabik.

— Vous êtes d'où en Bretagne ?

— On est de Vitré.

Le silence retomba. L'autre ne disait plus rien, il regardait l'enfant, détaillait son visage rond, ses yeux bleus ourlés de longs cils noirs et sa chevelure bouclée.

Le garçon s'agita, mal à l'aise. L'homme ne lui plaisait guère, mais les raclées à coups de ceinturon de son père non plus. Celui-là avait parlé d'argent, il attendit donc, ses sabots raclant le sol.

— *Qu'est-ce que tu fais ici ?* marmonna la voix dans le creux de sa tête.

— *Je le regarde.*

— *Il faut s'en aller.*

— *Non, pas encore. Pas tout de suite. Laisse-moi tranquille. Je ne fais rien de mal. Je le regarde.*

— *Tes pensées sont sales.*

— *Non, ce n'est pas vrai !*

L'enfant s'agita sur son tabouret. Il ne voyait pas le visage de l'homme mais sentait son regard posé sur lui et cela le gênait. Il se leva.

— Pourquoi vous vouliez voir mon père ? demanda-t-il.

— Ce n'est pas ton père que je voulais voir, répondit l'autre d'une voix changée.

— Comment ça ?

— Non, c'est toi.

Le visage du gamin se plissa sous le coup de l'étonnement.

— Je voulais te proposer de l'argent, beaucoup d'argent.

— *Qu'est-ce que tu vas lui dire ? Partons quand il en est encore temps.*

— *Non !*

— *Il ne t'a rien fait. C'est toi qui es venu le chercher chez lui. C'est toi qui as soudoyé la vieille.*

— *Je vais lui expliquer…*

— *Que tu vas le tuer parce que tu ne peux pas l'aimer ?*

— *C'est faux.*

— *Non. Tu as cru que les enfants, ça serait plus facile, mais rien n'est facile quand on est comme toi. Tu es maudit.*

— *Non ! Non !*

L'enfant s'était levé, effrayé par les mimiques de l'homme, ses gesticulations, les mots qu'il marmonnait dont il ne comprenait pas le sens.

— Qu'est-ce qui vous prend ? fit-il en saisissant l'un des tabourets par le pied et en le brandissant devant lui. Sortez d'ici ! Je veux pas de votre argent.

— Tu vis dans un taudis. Je veux t'aider. Laisse-moi faire.

— Approchez pas ! Je vais crier !

— *Tu ne vas pas me dire que celui-là a essayé de te séduire ?* persifla la voix. *Il te repousse. Tu le dégoûtes.*

— *Non, je le repousse, regarde !*

L'homme avait dégainé son couteau. Le garçon se mit à hurler et le frappa de toutes ses forces avec le tabouret.

43

Tancrède se réveilla complètement nu sur un lit. Près de lui se trouvait une fillette qui ne devait guère avoir plus de douze ans. Elle était petite et potelée comme un bébé, la peau rose, toute en courbes douces avec de longs cheveux blonds retombant sur ses fesses.

Un violent mal de tête serrait les tempes du jeune homme. Il essaya de s'asseoir et retomba sur ses oreillers. La pièce tournait. La nausée était revenue. La petite le regardait sans mot dire. Tout s'embrouillait. Il ne se souvenait de rien, sauf de s'être laissé tomber sur le banc près des cuveaux de bois où riaient les bourgeois.

— Qu'est-ce que je fais là ? finit-il par bredouiller.

— Pas grand-chose, messire, répondit la gamine d'un ton narquois.

— Je suis toujours aux étuves ?

— Ben oui.

— Et toi, qui es-tu ?

— La Doucette, mon sire. J'ai bien essayé de vous réveiller, mais vous n'étiez pas d'humeur courtisane.

Tout en disant ces mots, elle se frotta à lui comme un jeune animal. Il avait envie de sortir, de marcher, de respirer l'air marin et non le parfum capiteux dont elle s'était aspergée.

Un grand chandelier était allumé au pied du lit.

— Pourquoi ces lumières ?

— Parce que la nuit est venue ! se moqua la gamine. L'est même presque finie. On vous a lavé, les filles et moi, sans réussir à vous réveiller. Vous avez dormi tout l'après-midi et une bonne partie de la nuit.

À imaginer toutes ces femmes disposant de lui, Tancrède sentit le rouge lui monter aux joues.

— Je suis ravi de t'avoir fait rire, répliqua-t-il, vexé.

— Oh non, messire ! protesta la fillette. Le prenez point mal. C'était pas méchant et, croyez-moi, j'aurais préféré vous donner en retour.

— Me donner en retour… Mais quel âge as-tu donc ? Et où as-tu appris à parler ?

Malgré ses poses de puterelle et sa voix rauque, elle paraissait à peine sortie de l'enfance.

— Pour l'âge, j'sais pas bien, mon sire, entre douze et quatorze. Suffisamment, en tout cas, pour vous donner du plaisir. Pour l'éducation, y a un clerc de mes clients qui m'apprend les mots.

— Où sont mes vêtements ?

— Sur le coffre, là-bas.

— Tu n'as donc point de famille ? Et le prévôt d'ici accepte que des gamines aillent au bourdeau ?

Une ombre passa sur le visage rond. Son regard se durcit.

— Pourquoi parler de ces choses ? fit-elle en essayant de l'attirer à elle. Alors que je m'offre à vous.

Il la repoussa et se leva.

— Soyez pas fâché ! s'écria-t-elle d'une voix pointue. J'vais vous raconter. Mes parents m'ont vendue à Guenièvre, y a longtemps. J'suis arrivée ici, j'avais encore du lait aux lèvres. Au moins, ici, je mange à ma faim et j'ai plus froid. Et le prévôt, y sait rien. Quand ses hommes y viennent voir l'étuve et les chambres, nous, les petites, on nous fait descendre dans les caves.

— Vous êtes plusieurs ?

— Trois, parfois quatre. Mais dites, mon corps vous plaît pas ? Je suis pas assez grasse ? J'ai pas assez de tétons ? Ou c'est mes cuisses ?

Tancrède avait enfilé ses braies et sa chainse. Il revint s'asseoir sur le bord du lit pour mettre ses bottes.

— Vous ne m'avez pas répondu.

— Que veux-tu que je te dise, Doucette ? Tu es si jeune…

— Vous n'êtes pas vieux non plus, protesta-t-elle.

Elle s'était enroulée dans le drap. Elle paraissait soudain plus fragile, moins sûre d'elle.

Il s'en voulut d'être là, d'être un homme aussi. Il imagina ce qu'elle avait connu. Les parents qui l'avaient vendue, les hommes qui, jour après jour, avaient fait d'elle ce qu'elle était aujourd'hui. Son regard n'était plus celui d'une enfant et, par moments, sa voix avait les accents éraillés d'une vieille. Un jour peut-être, ce corps charmant ressemblerait à celui de dame Guenièvre, à moins qu'elle ne finisse morte de faim et de froid, au fond d'un fossé.

Tout ce qu'il avait appris dans les livres ne lui servait à rien en cet instant. Il se sentait désemparé.

— Pourquoi vous me regardez comme ça ?

Tancrède se leva pour attraper son mantel. Il avait une furieuse envie de vomir.

La Doucette s'était assise en tailleur au milieu du lit, et ne le quittait plus des yeux.

— Même si on fait rien, murmura-t-elle. J'suis payée. Alors, j'vais pas me plaindre.

— Sais-tu où est Giovanni, le marchand qui est arrivé avec moi ?

— Dans une des pièces de l'étage. Doit avoir fini son affaire à l'heure qu'il est. L'aube va bientôt se lever.

La gamine sauta du lit et s'approcha.

— Vous me dites pas au revoir ?

Elle se haussa sur la pointe des pieds et Tancrède la souleva de terre comme il eût fait d'une enfant. Il la serra contre lui un instant, puis la porte se referma. Il était parti.

La Doucette resta un moment perplexe, enfin elle haussa ses épaules rondes et se jeta sur le lit.

— Dommage, pour une fois qu'y en avait un qui me plaisait ! remarqua-t-elle.

Elle s'étira avec volupté sous la courtepointe, mit son pouce dans sa bouche. Quelques instants plus tard, elle dormait profondément.

44

Giovanni descendit les escaliers, escorté de la patronne. De la sueur souillait sa tunique et ses yeux étaient cernés de noir. Il vacillait de fatigue.

— Alors, l'auberge était à ton goût ? fit-il, la voix enrouée. Cette femme m'a tué, tu sais ? Pire qu'une ogresse. Il va falloir que tu m'aides à regagner le bateau. Allez, ma belle, dis partout que Giovanni t'a fait fête.

Il plaqua un baiser sonore sur les seins dénudés, mordit les lèvres entrouvertes et rejoignit le jeune homme en bas de l'escalier. La servante lui apporta son mantel.

— Devriez attendre, messire, fit la fille, l'aube n'est pas encore levée. La prévôté n'aime pas qu'on erre dans les rues avant l'office de laudes.

— Regarde comme elle nous aime ! s'exclama Giovanni en donnant une tape sur les fesses de la fille. T'en fais pas, mon ange, mon ami et moi, on est de taille à mettre en déroute tous les gens d'armes de La Rochelle !

La porte se referma sur eux. Le ciel s'éclaircissait. L'aube était proche. Tancrède aspira l'air vif à pleins poumons, heureux de se retrouver enfin dehors. Giovanni s'agrippa à lui.

— J'suis point si vif que je lui ai dit, va falloir que tu m'aides, fit-il.

— Accroche-toi.

Au début, le Lombard le dirigea dans le lacis des ruelles.

— C'est la rue de l'Aiguillerie. Tourne à droite. Euh… Ah oui, la fontaine Salaude ! fit-il alors qu'ils arrivaient sur une placette. Va par là !

Puis, petit à petit, sa voix devint pâteuse. Il se faisait de plus en plus lourd, traînait les pieds et bâillait à s'en décrocher la mâchoire. Par moments, ses yeux se fermaient.

Ils débouchèrent bientôt sur une large esplanade où poussait une herbe rase recouverte de gelée blanche. Le vent du nord y soufflait en rafales, gémissant en s'engouffrant dans les ruelles voisines. Tancrède regarda autour de lui, mais ne vit pas trace de la proximité du port ni de quoi que ce soit d'autre d'ailleurs, hormis quelques pieds de vigne, des enclos à bêtes vides et quelques vilaines cabanes de guingois.

— Giovanni ! fit Tancrède en secouant son compagnon. Par Dieu, réveille-toi ! On s'est égarés.

Le marchand ouvrit les yeux et regarda autour de lui d'un air ensommeillé.

— J'me suis trompé, marmonna-t-il. Nous sommes près de la Porte Neuve. C'est les champs de Guillaume de Ciré. Pour les foires.

— Où est le port ?

— De ce côté-là.

Il désigna une rue en face d'eux.

— Tout droit.

Au loin sonnait l'office de laudes.

— C'est la cloche de Saint-Jean-hors-les-murs, bredouilla Giovanni, ou celle de Cougnes. Allez, on y va. Faut que je dorme !

Ils repartirent, Tancrède soulevant à moitié son compagnon. Il allait le charger sur son dos quand retentit la sonnerie puissante d'un cor et le bruit d'une troupe à cheval. Le jeune homme s'arrêta. Le sol tremblait sous ses pieds. Lancés au galop, des cavaliers traversaient le champ de foire et venaient droit sur eux, précédés d'un gonfanon baucent. Ils étaient vêtus de cottes d'armes, la tête couverte du haubert et portaient le mantel blanc des Templiers.

Tancrède cala son ami contre un mur et attendit. Giovanni glissa à terre, ronflant puissamment.

Les templiers s'étaient arrêtés à quelques pas d'eux, leurs destriers soufflant et frappant le sol du bout de leurs sabots ferrés.

— Qui va là ? fit l'un des chevaliers.

— Ami ! répondit Tancrède. Paix sur vous, messire templier. Je ne suis point d'ici et je cherche mon chemin.

— Il n'y a que les voleurs et les assassins à se promener en ville à cette heure.

— Je puis vous assurer que je ne suis ni l'un ni l'autre. Nous cherchons, mon camarade et moi, à rejoindre le port.

Le templier poussa son cheval d'un mouvement de talon et s'approcha du jeune homme, essayant de discerner son visage dans la pénombre.

— Ce n'est pas une heure pour errer dans la ville et vous êtes bien loin du port. Où étiez-vous en ville ?

— Dans une étuve, messire templier. Mais je ne saurais vous dire où. Je ne connais pas la ville, c'est mon compagnon qui me servait de guide.

— Il est blessé ?

— Non, messire, il dort.

— De quelle étuve parlez-vous ? Et comment celui-là peut-il vous servir de guide dans cet état-là ?

— Mais je…

— Vous avez de la chance de n'être pas tombé sur les hommes du prévôt ! Vous allez nous suivre. Quel est votre nom ?

— Sire Tancrède, et lui, c'est Giovanni Della Luna. Nous sommes arrivés dans les bateaux qui se sont amarrés ce matin à la Grande-Rive, le knörr et l'esnèque aux armes du roi Henri II.

Le chevalier du Temple ne prêta aucune attention à ses propos. Un autre cavalier l'avait rejoint, ils parlaient entre eux. Il revint vers Tancrède, désignant Giovanni.

— Je vais le prendre en selle devant moi.

— Nous devons rejoindre le port, protesta Tancrède.

— Je ne crois pas que vous ayez le choix.

Tancrède saisit le Lombard qui dormait toujours et, d'un coup de reins, le hissa en travers de la selle du templier.

Les autres cavaliers l'avaient entouré. Il n'avait plus d'autre choix que d'obéir. Rien ne ressemblait à ce qu'il avait imaginé pour cette escale, ni la beuverie dans les auberges, ni son réveil à l'étuve avec la Doucette à ses côtés, ni son arrestation par les moines-soldats.

— Allons-y ! ordonna le premier chevalier. Notre doyen voudra vous voir. Et il n'est pas homme de patience.

— Mais je ne…

— Avancez !

Il recula devant le poitrail du destrier et se remit en marche. Les premiers rayons du soleil passaient au-dessus des remparts. La ville s'éveillait enfin et Tancrède se sentit soulagé comme si un poids s'enlevait de sa poitrine. Avec le jour, tout allait rentrer dans l'ordre. Les templiers les relâcheraient et il retrouverait Hugues. Ses pensées se tournèrent vers son maître. Il revoyait ce regard mêlé d'affection et de fierté qu'il posait parfois sur lui. Hugues lui avait tant donné sans rien exiger en retour…

— Plus vite ! ordonna le templier, interrompant le cours de ses pensées.

Des fenêtres et des auvents s'ouvraient. Un colporteur, sa hotte sur le dos, sortit d'une venelle et salua les templiers. Puis il regarda le jeune homme et fit la grimace.

— L'avez eu ? fit-il en crachant devant Tancrède. Faut le tuer comme une bête !

L'un des templiers écarta le colporteur du bout de sa lance.

— Allez, répéta le chevalier, si vous ne voulez pas que d'autres vous saluent de la même manière.

Un sentiment de malaise envahit le jeune homme qui accéléra le pas. Que se passait-il ici qu'il ignorait ? Pourquoi cet homme l'avait-il regardé avec cet air de dégoût et de haine ? Quelques instants plus tard, ils arrivaient devant le portail de la rue du Temple.

Un des chevaliers sauta à terre, frappant sur la porte close qui s'ouvrit aussitôt à l'énoncé de son nom.

Les cavaliers entrèrent dans une cour où se dressait une chapelle de pierre.

— Si tu veux prier la Madeleine, c'est ici, fit le templier en mettant pied à terre et en donnant ses rênes à un écuyer.

Près des écuries, des chevaux fraîchement harnachés attendaient, ainsi que d'autres moines-soldats et des sergents en armes.

— Vous l'avez trouvé, mon frère ? demanda un chevalier.

— Je l'espère, répondit le moine tout en désignant Giovanni à l'un des sergents. Portez celui-là à l'infirmerie et ne le quittez pas des yeux.

Le chevalier prit le bras de Tancrède et l'entraîna vers des bâtiments longs et bas. Ils entrèrent dans l'un d'eux, remontèrent un corridor et débouchèrent dans une salle basse.

— Attendez-moi ici, et n'essayez pas de vous enfuir !

— Je n'ai aucune raison de le faire, protesta le jeune homme.

— Vraiment ? dit l'homme en haussant le sourcil. Fasse Dieu que vous disiez vrai, sans cela je ne donne pas cher de votre peau ! Ni le prévôt ni le viguier n'aiment les assassins et nous n'avons pas assez de pain pour nourrir les prisonniers.

— Mais enfin, m'expliquerez-vous…

La porte s'était refermée. Tancrède se retrouva seul, à la fois furieux et inquiet.

Des torches murales jetaient une lueur chaude sur la pierre blanche. Au plafond flottaient des gonfanons de l'ordre. Au sol étaient posés des boucliers. Il marchait de long en large depuis un moment quand des pas lourds résonnèrent dans le couloir.

Une porte s'ouvrit et un frère entra, vêtu de sa robe blanche, sa longue cape sur les épaules, il était grand et maigre, le visage dur malgré les rides des années. Derrière lui venait le chevalier qui l'avait mené jusque-là. Le doyen s'arrêta à quelques pas du jeune homme et l'examina sans mot dire.

Tancrède s'inclina devant lui.

— Voici frère Jean, notre doyen, le présenta le templier, et je suis frère Aymon. Vous prétendez donc venir des navires arrivés hier au soir dans le port ?

— Je ne prétends pas, messire. C'est vrai.

— Savez-vous qu'un meurtre infâme a été commis dans notre ville cette nuit ? poursuivit le frère. Et que les gens de la prévôté, comme nous-mêmes, avons à charge de trouver l'assassin ?

— Je… non. Non, bien sûr, je ne le sais pas.

— Où étiez-vous cette nuit ?

— Je vous l'ai dit, messire, dans une étuve.

— Mais encore ? Notre ville en compte trois.

— Mon compagnon vous renseignerait mieux que moi.

— Il n'est visiblement pas en état de le faire, déclara soudain le doyen d'une voix rauque. Nous sommes passés le voir avant de venir ici et l'infirmier n'a pas réussi à le réveiller. Si vous n'en connaissez le nom, au moins décrivez-nous cette étuve et ce qu'il y a autour.

— Bien volontiers. Une grande maison sur une placette avec un arbre, un chêne vert, je crois. Des écuries autour. La patronne de l'endroit s'appelle Guenièvre.

Les templiers se regardèrent. Tancrède sentit qu'il aurait mieux fait de taire le nom de la tenancière.

— Vous dites une étuve, reprit frère Aymon avec sévérité. Et vous nous parlez d'un bourdeau ?

Le jeune homme se troubla. Ces deux-là le tenaient-ils déjà pour coupable d'un meurtre dont il ignorait tout ? Et si c'était justement dans l'étuve qu'on avait tué ? Il imagina leurs réactions s'il parlait de la gamine trouvée dans son lit. C'était terrible de ne pas savoir. Il protesta :

— Vous me demandez où j'étais, je vous réponds, messire chevalier.

— Les bateaux sont arrivés hier matin. Qu'avez-vous fait entre le matin et maintenant ?

Que pouvait-il dire alors qu'il ne se souvenait de rien ? Qu'il n'était pas capable d'énumérer les auberges où ils étaient passés ?

Il se lança pourtant :

— Nous avons mangé mon ami et moi aux *Trois Marteaux*. Ensuite nous sommes allés dans d'autres auberges, mais j'avais trop bu pour faire attention à leurs noms, et après, nous nous sommes rendus à cette étuve. Juste avant, je me souviens d'une pauvresse dans une ruelle qui chantait une comptine.

— Vraiment ? fit à nouveau le doyen dont le regard se fit plus aigu. Et comment était-elle, cette femme ?

— Je ne sais plus très bien.

Il fit un effort de mémoire, se posant la question que d'habitude lui posait son maître : « Qu'avez-vous vu ? » Et soudain il se rappela.

— Si, je me souviens d'un détail : l'une de ses mains n'était plus qu'un moignon. Mon ami lui a donné de l'argent et nous sommes repartis.

À ces mots, l'homme se tourna vers frère Aymon et ses paroles avaient la sécheresse d'un verdict :

— Nous en savons assez, ne croyez-vous pas ? Remettons-le au prévôt avec son compère. C'est à lui et au viguier de démêler le reste de l'écheveau.

— Me remettre au prévôt ! protesta Tancrède. Mais pourquoi ? Attendez… De quoi m'accusez-vous ?

— Ce n'est pas à nous de porter accusation, répondit le doyen. Mais si vous avez du sang sur les mains, surtout celui-là, soyez sûr que vous paierez !

— Je suis innocent. Je n'ai rien fait. Il faut que vous préveniez Hugues de Tarse, à bord de l'esnèque.

Des sergents entraient.

— Emmenez-le ! ordonna frère Aymon.

— Non ! protesta Tancrède. Prévenez le sire de Tarse, je vous en prie, il vous dira qui je suis. Il vous dira…

Mais le frère ne l'écoutait plus. Il était en grand conciliabule avec le doyen. Les soldats avaient pris Tancrède par les bras et l'entraînaient de force. Quelques instants plus tard, malgré ses protestations, on le jetait dans une geôle. Des verrous grinçaient. Les ténèbres se refermaient sur lui…

LE TALISMAN

45

La nuit avait été agitée et les patrouilles de la prévôté avaient quadrillé sans relâche les ruelles à la recherche de l'assassin du petit Gabik Ar Pennec. Dans la maison du viguier, non loin des remparts, quatre hommes discutaient avec animation.

— Il ne sera pas dit qu'il nous aura échappé ! s'écria le prévôt Nicolas de Ciré, un homme petit et robuste, vêtu d'une broigne cloutée, le cheveu et l'œil noirs.

Une bûche craqua dans l'âtre, quelques étincelles jaillirent sur le dallage. Le vent cognait aux volets de bois des fenêtres.

— S'il le faut, ajouta-t-il, je ferai fouiller les maisons une à une. Le représentant des Bretons est venu me voir. Nous ne pouvons mécontenter ces hommes de plus en plus nombreux dans notre ville.

Le commandeur du Temple, frère Hugues d'Angers, se tenait près de lui. Taciturne et sévère, il appréciait le prévôt et ce qui, au début, n'avait été que de l'estime s'était transformé en une solide amitié.

— Même si notre tâche est davantage d'assurer la sécurité des routes, le précepteur de notre province de Poitou m'appuiera dans cette affaire, déclara-t-il. Entre vos gens d'armes, mes frères et la population, l'assassin ne peut pas s'en sortir. Qu'en pensez-vous, mon cher Hugues ?

Hugues de Tarse, qui était resté debout, le front contre le linteau de la cheminée, à contempler les flammes, se tourna vers le templier. Il avait les traits tirés par la fatigue, mais son regard gardait sa vivacité coutumière.

La veille, après sa discussion avec le capitaine Corato et ne voyant pas revenir le Bigorneau, il était parti vers la commanderie templière. Se réjouissant de revoir le commandeur après toutes ces années, il avait revêtu sa longue tunique rehaussée de fils d'or à larges manches et des braies du même tissu, ceignant le baudrier en cuir de Cordoue où pendaient son cimeterre et son poignard. Mais rien ne s'était passé comme il l'avait imaginé. Il avait à peine franchi la porte du Temple que le commandeur l'entraînait à l'autre bout de la ville dans une masure de bois où gisait le cadavre d'un enfant. Sa visite s'était transformée en veillée d'armes.

— Ne le sous-estimons pas, messires, répondit-il d'une voix douce. Est-ce que l'infirmier a eu le temps d'examiner le corps ?

— Je pense qu'il a fini, il attend en bas, répondit le prévôt. J'allais lui demander de nous rejoindre. Viguier, vous êtes d'accord ?

Celui-ci, un homme à la lippe épaisse et aux yeux enfoncés dans les orbites, hocha simplement la tête en signe d'assentiment. Véritable maître de la ville, les affaires criminelles ne l'intéressaient que dans la mesure où elles troublaient l'ordre qu'il avait instauré.

Quelques instants plus tard, la porte s'ouvrit sur un moine au teint brique dont l'embonpoint tendait le tissu de sa robe de bure.

— Frère Itier, de l'aumônerie de Saint-Jean-hors-les-murs, le présenta le commandeur. Mon frère, messire de Tarse, ici présent, aimerait vous poser quelques questions.

Le gros moine se racla la gorge.

— Que voulez-vous savoir, messire ?

— Salut à vous, mon frère. J'ai moi-même examiné l'enfant, mais nous aimerions avoir votre avis sur la cause de sa mort.

— Oh, ce n'est pas bien difficile, messire ! Il a été tué d'un coup de couteau en plein cœur.

— Le mobilier était sens dessus dessous et l'enfant s'est défendu. Ne portait-il pas d'autres traces ?

— Il avait des meurtrissures aux poignets et sur le visage, ainsi qu'un cercle bleuté autour du cou indiquant que le meurtrier a essayé de l'étrangler avant de le poignarder.

— Quelle sorte de couteau ?

— Un poignard à la lame longue et fine, un peu comme celui que vous portez au côté, messire.

— Avez-vous vu d'autres marques ?

— Hormis celles que je viens de vous énumérer, aucune. Par contre…

Le moine hésita.

— J'ai trouvé ceci dans le poing fermé du petit Gabik.

Frère Itier tendit à l'Oriental une médaille qu'il alla examiner à la lueur des flammes avant de la faire passer aux autres.

— L'enfant ne portait pas de bijoux, ceci devait appartenir à son agresseur. Voilà tout ce que je peux vous dire, messire. Si vous n'avez plus besoin de moi, il faut que je retourne à l'aumônerie, mes malades m'attendent.

— Merci, mon frère.

Le commandeur raccompagna le moine à la porte, puis retourna s'asseoir près du viguier non sans avoir, au passage, rendu le pendentif à Hugues.

— Une simple médaille en étain, remarqua le prévôt.

— Oui, mais d'origine byzantine, avec d'un côté les poissons, symboles chrétiens, et de l'autre le carré magique et le nom du Christ. Une amulette comme celles qu'interdit l'Église.

— Tout le monde en porte quand même. Vous semblez soucieux, messire de Tarse ?

— J'essaye de comprendre ce qui a pu se passer entre la victime et son assassin.

— Je vous avouerai, déclara soudain le viguier, que, les Bretons ne seraient pas si mécontents, je ne m'en soucierais pas tant.

Le silence retomba entre les hommes. Hugues continuait à regarder l'amulette, se demandant où il en avait vu une pareille. Mais Nicolas de Ciré avait raison, amulettes, reliques, médailles, même sur les bateaux tout le monde en portait : Corato, Pique la Lune, le pèlerin de Saint-Jacques, Eleonor, le stirman... Le monde devenait superstitieux. Seulement celle-là lui rappelait quelque chose ou quelqu'un. L'image s'évanouit... Un soldat venait d'entrer dans la pièce.

— Un message en provenance du Temple pour vous, annonça l'homme d'armes en s'inclinant devant le commandeur du Temple.

— Donnez ! Donnez !

Il lut la missive, puis releva la tête.

— On m'avise, messires, annonça-t-il, que la patrouille a capturé deux hommes et qu'il y a tout lieu de croire que ce sont les coupables. Je vais ordonner qu'on nous les amène sous bonne escorte.

— Voilà une bonne nouvelle ! s'écria le prévôt. Mais nous ne nous attendions pas à avoir deux meurtriers au lieu d'un.

— Nous aviserons, fit le viguier. D'ici là, j'aimerais, avant qu'ils arrivent, que le sire de Tarse interroge la vieille femme que vous avez fait conduire chez moi.

Le prévôt alla à la porte qu'il ouvrit.

— Amenez-nous la mère Pendille ! ordonna-t-il à l'homme de garde.

46

La pauvresse s'arrêta sur le seuil. Vêtue de haillons dont l'odeur putride emplissait déjà la pièce, le visage noirci par la crasse, les cheveux emmêlés et pleins de vermine, elle ne paraissait nullement intimidée de se trouver devant tant de notables, plutôt mécontente. Hugues quitta la cheminée et vint à sa rencontre. Elle esquissa un mouvement de recul.

— Un Maure ! s'écria-t-elle. Me touchez pas !

— Je n'en avais pas l'intention, affirma l'Oriental en lui désignant un tabouret près de l'âtre. Asseyez-vous !

La voix était ferme et, après un regard vers les visages sévères des hommes présents dans la salle, la vieille obtempéra en maugréant.

— On m'a dit qu'on vous surnommait la mère Pendille, déclara l'Oriental. Avez-vous un autre nom ?

La femme le regarda comme si sa question était incongrue, puis finit par marmonner :

— Y a longtemps, j'étais Girème. C'était mon nom.

— Eh bien, Girème, j'ai des questions à vous poser.

— Manquait plus que ça. Si c'est ça de rendre service, bougonna la vieille. C'est quand même grâce à moi si la patrouille, elle est venue ! Se faire questionner comme si on avait fait le mal !

Sans prêter attention à ses jérémiades, Hugues reprit :

— Revenons en arrière, Girème. La nuit n'est pas encore tombée, vous entendez des appels à l'aide dans la maison voisine. Une patrouille passe dans une ruelle non loin de là. Vous courez la chercher en disant qu'on assassine quelqu'un. C'est cela ?

La pauvresse tendait un moignon de main vers les flammes.

— Oui. Savez, c'est drôle, ajouta-t-elle en fixant Hugues qui l'observait, c'est là où j'ai plus de main que j'ai le plus froid aux doigts !

— Bon, vous prévenez la patrouille et c'est tout à votre honneur, même si les hommes du prévôt sont arrivés trop tard pour sauver l'enfant.

— Ben oui, c'est pas ma faute si l'assassin s'est enfui ! fit-elle en se grattant le crâne.

— Ensuite, reprit Hugues, les gens de votre quartier, c'est le quartier breton, n'est-ce pas ?

— Oui, c'est comme ça qu'on le nomme, vu qu'y sont nombreux à être de là-bas.

— Donc les hommes du quartier, s'apercevant qu'on s'en était pris au fils d'un des leurs, le dénommé Ar Pennec, un artisan respecté de tous, se sont mis en chasse.

— Oui, souffla la vieille, se rappelant avec effroi comment les Bretons s'étaient rassemblés devant sa maison, levant des fourches, des haches et des faux et criant : « À mort l'assassin ! »

— Malgré cela, personne n'a retrouvé le meurtrier.

— Vous vouliez pas qu'en plus, je lui donne la chasse ! s'exclama la vieille. Déjà que j'ai plus qu'une main, alors…

— Je ne dis pas ça.

L'Oriental s'était à nouveau tourné vers les flammes. Il semblait y puiser quelque mystérieuse inspiration.

— Avant de poursuivre, laissez-moi vous conter mon histoire, Girème. J'étais avec le commandeur du Temple quand la nouvelle est arrivée et je suis allé avec lui au quartier breton. D'abord dans la maison d'Ar Pennec, ensuite chez vous, Girème. Vous n'étiez plus là, on vous avait conduite à la prévôté.

— Z'êtes allé chez moi ? répéta-t-elle interloquée.

— Oui. J'avais besoin de réfléchir et votre maison m'a paru l'endroit idéal. Pendant que tout le monde s'agitait alentour, j'y étais tranquille.

Le prévôt, le commandeur et le viguier fixaient l'Oriental, essayant de deviner où il voulait en venir.

— Ce gamin était seul, d'après les voisins, ses parents étaient à Laleu. Ils ne devaient revenir qu'au matin. Je me suis demandé une première chose et vous allez pouvoir m'aider, Girème. Pourquoi a-t-il ouvert sa porte à quelqu'un qu'il ne connaissait pas ?

— J'sais pas, moi, l'était pas méfiant ! s'exclama la femme en s'agitant sur son tabouret. On n'a rien à cacher, nous autres, pas comme les bourgeois ! Qu'est-ce que vous voulez qu'on nous vole ?

— Vous connaissiez bien Gabik ?

— Pas vraiment, fit la vieille en haussant les épaules.

226

— Et ses parents, les Ar Pennec ?

— Pas plus.

— Pourtant, c'était vos voisins les plus proches.

— J'vois personne.

— Ce n'est pas ce qu'on m'a dit, rétorqua Hugues.

Girème tressaillit, puis, la bouche mauvaise, rétorqua :

— Qu'est-ce qu'on vous a dit ? Et qui ?

— Que vous receviez souvent des visites, Girème. Et qu'hier encore, avant le couvre-feu, un homme est venu vous voir.

Girème ne se démonta pas. Elle fixait l'Oriental droit dans les yeux et l'on avait l'impression soudain que c'était elle qui menait l'interrogatoire.

— Qui vous a dit ça ? répéta-t-elle.

— Une de vos voisines.

— Ah, c'est la Berthe ! s'exclama-t-elle. Pire qu'un crapaud, elle bave sur tout et sur tous ! L'est à moitié folle, faut pas l'écouter, messire. L'a plus sa tête.

— Puisque vous le dites. De quoi vivez-vous, Girème ?

— Ben, comme tout le monde ici, de la pêche à pied, de petits travaux, de mendicité aussi.

— Ça doit être dur.

— Ça oui, messire.

— J'étais donc chez vous, reprit Hugues. Je me suis assis sur votre tabouret devant le chaudron et puis, soudain, j'ai aperçu comme une bosse sous l'une des nattes de paille qui recouvraient le sol.

Pour le coup, la voix de la vieille chevrota :

— Une bo... bosse.

— Comment expliquez-vous ça ? fit l'Oriental en sortant de sa poche la bourse qu'il avait trouvée enfouie.

— Je...

— Comment expliques-tu ça ?

La voix avait claqué et, à cause de ce brusque tutoiement, Girème se troubla.

— C'est... C'est rien, messire, c'est mes sous. Des années d'économies.

— Vraiment ?

— Ben oui, j'vous jure…

— Tais-toi !

La vieille se recroquevilla sur son siège comme s'il l'avait giflée.

— À partir de maintenant, Girème, soit tu dis la vérité, soit je t'abandonne aux hommes du prévôt.

Nicolas de Ciré n'avait pas la réputation d'être tendre, et bien souvent les accusés finissaient au pilori ou au gibet.

— Non ! J'ai rien fait de mal ! Je vous dirai tout !

— C'est ce qu'on va voir, fit Hugues en ouvrant la bourse dont il fit tomber les deniers sur le dallage.

Les pièces roulèrent jusque sous les pieds des notables. La pauvresse voulut se précipiter pour les ramasser, mais un soldat la retint.

— C'est beaucoup d'argent pour quelqu'un qui vient de me dire ne vivre que de mendicité, remarqua l'Oriental. À moins que les bourgeois de cette ville ne soient particulièrement généreux, ce que je ne crois pas. Certaines pièces paraissent récentes. Un changeur pourra nous confirmer si elles viennent d'être frappées ou non. Veux-tu que j'en fasse appeler un ?

— Non, messire.

— Est-ce là le prix de la vie du jeune Gabik ?

Le silence était retombé. Un des gardes avait remis un fagot dans la cheminée.

— Je vais t'expliquer ce qui s'est passé, Girème. J'ai eu la nuit pour y réfléchir. Je sais par le commandeur qu'il se fait ici, à La Rochelle, comme dans de nombreux autres ports, de la vente d'êtres humains : femmes, enfants, jeunes gens… Et je ne vois pas d'autre raison à la visite de cet homme chez Ar Pennec ni au fait que j'ai retrouvé cette bourse chez toi.

— Je n'aurais jamais pensé à ça ! s'exclama le prévôt. Mais oui, vous avez raison. Cette vieille folle a vendu le gamin !

Girème ne disait plus rien. Elle paraissait soudain pitoyable et effrayée.

— C'est vrai, on se bat contre ça depuis des années, reprit Nicolas de Ciré, on a des soupçons, mais on n'a jamais réussi à attraper personne. Des femmes et des enfants finissent dans des bourdeaux, des garçons et des jeunes gens partent sur les bateaux comme mousses ou esclaves. Ces marauds sont bien organisés.

— La bête a certainement plusieurs têtes comme l'Hydre de Lerne ! fit Hugues dont la voix s'était radoucie. Espérons qu'en coupant celle-là, il n'en repoussera pas d'autres !

Girème allait parler, mais le regard d'Hugues l'en dissuada. Elle baissa la tête.

— Un homme est venu te trouver hier au soir. Tu lui as dit que Gabik était seul, que ses parents ne rentreraient pas avant le lendemain. Tu as donc vendu ce gamin à son assassin. Qui était ton client ? Parle, si tu veux sauver ta vie !

Tous les regards étaient braqués vers la vieille devenue livide et dont les mains tremblaient.

— Vous avez raison, messire, finit-elle par dire, la voix mal assurée. Mais souvent, vous le savez, c'est les parents qui vendent leurs enfants, c'est eux les coupables, pas moi !

— Laisse-nous juger qui est coupable ! gronda le viguier.

— Oui, messire viguier. Je savais pas qu'on allait le tuer, parole ! Je croyais que l'homme, il allait l'emmener sur un bateau.

La vieille s'était mise debout, elle semblait revivre la scène.

— Quand j'ai entendu un bruit de lutte et des cris, j'ai été effrayée, avoua-t-elle. Et puis soudain, le gamin a appelé au secours, alors je suis sortie chercher la patrouille. J'avais du remords. Faut me croire.

Elle se jeta aux pieds du viguier qui fit signe au soldat de la saisir. La vieille se retrouva à nouveau assise sur son tabouret.

— Je crois surtout que tu as entendu la patrouille arriver et que c'est ça qui t'a fait peur. Le dommage pour toi, c'est qu'ils sont arrivés trop tard. Tu ne m'as pas répondu, comment était ton client ?

— J'ai pas vu son visage, messire, geignit la vieille. Il portait un mantel à capuche.

— Comment t'a-t-il contactée ?

— J'suis connue… Les gens y savent qu'y faut venir me voir à la nuit tombée. Savez, les gamins, souvent, y sont mieux qu'avant. Au moins, y mangent à leur faim.

— Bientôt tu vas me dire que tu as fait œuvre de charité ! s'exclama l'Oriental. As-tu reconnu la voix du client ou vu quelque chose d'autre ? Réfléchis.

Le visage de la pauvresse se crispa sous l'effort, puis elle fit un signe désespéré de la tête.

— Non, messire. Non. C'est pas que je veux pas vous aider, mais j'le connaissais pas, celui-là. J'vous jure.

— Emmenez-la ! ordonna le prévôt au garde qui attendait devant la porte.

— Non, non ! protesta la vieille. C'est moi qu'ai donné l'alerte. J'me suis repentie ! J'me suis repentie !

— Dieu en jugera, murmura le commandeur.

— Je vous aiderai à trouver les autres ! hurla la vieille alors qu'on l'entraînait de force.

Après ces paroles, le silence retomba. Le soldat s'était immobilisé près de la porte. Le viguier lui fit signe d'emmener la prisonnière.

— Pourquoi ne pas avoir entendu ce qu'elle avait à dire ? demanda le commandeur.

— Patience, patience ! répondit le viguier avec un sourire sinistre. Il est bon que cette femelle croie que nous allons la pendre. Elle nous en dira davantage.

Le prévôt acquiesça d'un signe de tête. Hugues semblait s'être désintéressé de ce qui l'entourait. Il repensait à l'amulette qu'il serrait toujours dans son poing.

— Pour l'instant, l'assassin nous échappe encore. Si nous entendions les hommes arrêtés par vos templiers ?

Le commandeur s'inclina.

47

Quelques instants plus tard, la porte s'ouvrait à nouveau. Deux chevaliers du Temple entraient, poussant devant eux Giovanni et Tancrède. L'Italien vacillait de fatigue, quant au protégé de l'Oriental, son regard s'éclaira à la vue de son maître, puis s'assombrit.

Hugues était resté impassible et seul un observateur attentif aurait pu deviner la tension qui l'habitait. Le jeune homme parcourut les visages sévères du viguier, du prévôt et du commandeur et devina, sans les connaître, que c'étaient là les justiciers de la ville.

— On vous a prévenu, messire, qu'on nous avait conduits à la commanderie ? demanda-t-il d'une voix moins assurée qu'il n'aurait voulu.

— On ne m'a prévenu de rien, sire Tancrède, et, sachez-le, vous vous retrouvez avec maître Della Luna devant les plus hautes autorités de La Rochelle pour répondre à de terribles accusations.

Le visage de son maître ne trahissait aucune émotion et Tancrède attendit la suite. Il réalisait soudain à quel point son manque de lucidité de la veille pouvait lui coûter cher. Il essayait de deviner ce qui avait pu se passer, ce dont on allait les accuser, lui et Giovanni.

— Vous vous connaissez ? demanda Nicolas de Ciré à Hugues de Tarse.

— Oui, messire. Je connais ces deux hommes. L'un d'eux est l'armateur du navire marchand avec lequel l'esnèque fait route : maître Giovanni Della Luna. L'autre est mon fils adoptif, Tancrède.

L'un des templiers, escortant les prisonniers, s'avança. C'était frère Aymon, le moine-soldat qui avait arrêté les deux hommes.

— Cet homme avait dit qu'il vous connaissait, messire. Mais je ne l'ai pas cru, pardonnez-moi.

— Ce n'est pas grave, mon frère, répondit Hugues, toujours très calme.

— Si vous les connaissez, cela change tout, commença le commandeur du Temple d'un ton conciliant.

— Je vous remercie de ces paroles, commandeur, mais non !

Hugues s'était tourné vers le viguier. L'homme n'avait pas bronché, il observait la scène de ses petits yeux noirs et Hugues savait que, pour celui-là, Tancrède ne devait pas être relâché sous un autre prétexte que celui de son innocence pleine et entière.

— M'autorisez-vous, messire viguier, à questionner ces hommes ?

L'homme mordilla sa lèvre inférieure d'un air mécontent, puis finit par acquiescer :

— Allez-y, messire. Nous n'avons qu'à nous louer, jusqu'à présent, de votre collaboration.

Hugues avait noté le « jusqu'à présent ». Il se tourna vers frère Aymon.

— Si vous nous disiez tout d'abord, mon frère, ce qui vous a amené à arrêter ces hommes ?

— Je les ai trouvés près du champ de foire, l'un d'eux était quasi inconscient, l'autre s'apprêtait à le charger sur ses épaules et je vous avouerai que, sur le moment, nous avons pensé qu'il l'avait assassiné ou dépouillé. Et puis, nous nous sommes aperçus que celui-là…

Le templier désignait Giovanni.

— … celui-là cuvait son vin. L'aube n'était pas encore venue et vous savez que nous n'aimons guère que des gens rôdent à cette heure dans les ruelles. Les propos du plus jeune étaient embrouillés. Je les ai priés de nous suivre à la prévôté et le doyen et moi-même avons interrogé l'autre.

— Pas « l'autre », sire Tancrède ! le reprit Hugues avec douceur. Mon frère, vous avez interrogé sire Tancrède.

— Euh, oui, pardonnez-moi.

— Que vous a-t-il dit ?

— Qu'ils avaient passé la nuit chez la Guenièvre, mais qu'auparavant leurs pas avaient croisé ceux d'une pauvresse…

— C'est tout ?

— Oui, mais la pauvresse était…

— Merci pour toutes ces précisions, mon frère, le coupa Hugues.

Le moine se tut. L'Oriental regardait les prisonniers. Le marchand essayait tant bien que mal de rester debout, sa nuit blanche et tout ce qu'il avait ingurgité, y compris à l'étuve avec Guenièvre, le faisaient vaciller. Hugues lui tendit sa gourde de cuir.

— Tenez ! Buvez ça ! ordonna-t-il. Cela vous éclaircira les idées et vous permettra de répondre à nos questions.

L'armateur avala la potion en faisant la grimace.

— Je peux m'asseoir ? bredouilla-t-il.

Sur un signe de tête du prévôt, il se laissa tomber sur le siège qu'avait délaissé la vieille. Un moment passa, puis un peu de couleur monta à ses joues et son regard devint plus vif.

— Merci.

L'Oriental faisait maintenant face à son protégé.

— Il va falloir expliquer vos faits et gestes.

— De quoi nous accuse-t-on, mon maître ?

— De la mort d'un innocent. Où étiez-vous entre le moment où vous avez débarqué du bateau et celui où vous avez rencontré la patrouille ?

Tancrède serra les poings et s'efforça de répondre avec calme.

— Après la tempête que nous avions essuyée, j'avoue que Giovanni et moi-même avons amplement fêté notre arrivée à La Rochelle. J'ai dit à frère Aymon que nous étions allé à la rôtisserie des *Trois Marteaux* où nous avons mangé le midi après le débarquement, ensuite nous avons fait plusieurs tavernes, deux ou trois, je crois… Giovanni vous en dira plus que moi car il connaît la ville.

— Êtes-vous de la famille de Renato Della Luna ? demanda soudain le viguier.

— Renato est mon frère, messire.

— Un marchand respectable, et d'une famille de grande renommée. J'aurais dû penser que vous apparteniez à celle-ci. Continuez, continuez, ne vous occupez pas de moi, messire de Tarse.

— Maître Della Luna, pouvez-vous me nommer les tavernes dont a parlé Tancrède ?

Était-ce l'effet de la potion donnée par Hugues ? Le Lombard avait repris de l'assurance.

— Oui. Nous avons mangé, comme il vous l'a dit, aux *Trois Marteaux*, ensuite… Laissez-moi réfléchir. Nous sommes allés à *La Truie qui file* et à *La Licorne*. De là, nous nous sommes rendus aux étuves.

— Il faisait encore jour, donc ? demanda Hugues.

— Oh, oui ! C'était largement avant vêpres.

— Et cette pauvresse, Tancrède, dont vous avez parlé au frère ?

— Une vieille femme qui fredonnait des chansons et qui nous a demandé l'aumône. Il lui manquait des doigts à une main. C'est ce que j'ai signalé à frère Aymon.

— C'était donc toujours avant la nuit.

— Je ne sais pas pourquoi Tancrède se souvient de celle-là ! remarqua Giovanni. Elle puait la charogne, et je lui ai donné une pièce pour l'éloigner, mais c'était avant d'arriver à l'étuve.

— Et ensuite, maître Della Luna ?

— C'est dame Guenièvre, elle-même, qui nous a reçus. Tancrède est parti aux cuveaux pour se baigner et moi j'ai rejoint la dame de céans dans sa couche. C'est pourquoi vous me voyez si fatigué ! Ensuite, mon ami et moi, nous sommes retrouvés pour regagner le port.

Après, j'avoue que je ne me souviens plus, je crois que je me suis endormi avant que les templiers n'arrivent.

— Qui est cette dame Guenièvre ? demanda Hugues au prévôt.

— Une tenancière de bourdeau que j'ai à l'œil depuis longtemps. Je suis sûr qu'elle trafique des gamines.

— Des enfants ! s'exclama le Lombard. Pour moi, je n'ai vu que des puterelles en âge d'exercer, et Tancrède aussi, n'est-ce pas ?

Tancrède hocha la tête pour n'avoir pas à mentir, mais son silence n'échappa pas à son maître.

Giovanni reprit :

— Je ne sais, messires, de quoi vous nous accusez, mais je veux bien, quant à moi, vous confesser péché de chair et gourmandise, mais rien de plus. Même si ce bourdeau n'a guère bonne réputation, nous y avons passé la nuit, j'y ai dépensé bon et bel argent comme dans vos tavernes, et il n'y a pas là matière à jugement. Ma famille est une honnête famille. Vous dites connaître Renato, messire viguier ?

Celui-ci hocha la tête.

— Vous savez donc combien ma famille est digne d'estime. De son côté, Tancrède est le protégé du sire de Tarse. Nous ne sommes coupables que d'avoir trop bu et trop mangé. Vous reconnaîtrez que nous faisons de piètres coupables.

Hugues n'avait rien dit, laissant le Sicilien assurer sa défense.

Le viguier se leva et s'approcha du marchand dont il saisit les mains pour les serrer dans les siennes.

— Assez de tout cela ! Avec nos excuses pour ce désagrément et mes salutations à votre estimable frère, messire Giovanni. Vous êtes libre, et vous aussi, bien sûr, messire Tancrède.

Le marchand s'inclina.

— Je savais que je pouvais compter sur votre sens de la justice, messire.

Le gros homme fit un geste évasif.

— Je vous laisse, maintenant. Prévôt, je compte sur vous pour trouver l'assassin mais plus encore, je vous l'avoue, pour en finir avec ce marché humain. Et si vous avez besoin d'un exemple, pendez la vieille !

Le commandeur et le prévôt s'inclinèrent, le viguier sortit. Les chevaliers du Temple demandèrent à se retirer.

— La vieille ! maugréa le prévôt. Cela ne fait pas grand-chose à se mettre sous la dent.

— Elle ne vous avouera que ce qu'elle sait, c'est-à-dire rien, remarqua Hugues. Et quant à ce bourdeau, je vous fais le pari qu'il n'y aura plus de gamines quand vos hommes et vous y ferez visite.

— J'espère que vous vous trompez, sire de Tarse, mais j'y vais de ce pas, et avec la mère Pendille. À vous revoir.

Le prévôt sortit à son tour. Il ne resta plus dans la pièce qu'Hugues, Tancrède, Giovanni et le commandeur du Temple.

— Et notre assassin ? demanda ce dernier.

— Plutarque disait : « La patience vient mieux à bout de ses entreprises que la force, et bien des choses, qu'on ne saurait emporter d'un seul coup, cèdent aisément si on les prend l'une après l'autre », murmura Hugues.

48

La vergue était réparée. La marée propice. Passagers et marins avaient embarqué sur le knörr et l'esnèque. Ils allaient bientôt lever l'ancre et Pique la Lune, son balluchon sur le dos, était venu faire ses adieux au stirman. Il avait la mine sombre comme à chaque fois qu'une de ses aventures avec la mer prenait fin.

— C'était, ma foi, déclara-t-il, une traversée comme je les aime. Un plaisir de naviguer avec toi, Harald.

Le Norvégien hocha la tête et tendit une bourse de cuir au Breton.

— Voici ce que nous te devions.

— Merci, fit le pilote en empochant son argent.

Il allait reprendre le balluchon posé à ses pieds quand le stirman interrompit son geste.

— Nous avons parlé, Knut et moi, ajouta-t-il. Ne m'as-tu pas dit que, pour l'instant, tu n'avais pas d'autre engagement ?

— Oh, ça tardera pas ! Ici, les bateaux manquent pas. J'en trouverai bien un qui remonte vers Bordeaux ou qui va vers l'Angleterre. Je suis pas inquiet.

— Et si tu restais avec nous ?

— Pardon ?

Les yeux du Breton s'étaient agrandis d'étonnement.

— Tu as bien entendu. Si tu venais avec nous jusqu'en Sicile ?

— Mais je ne sais pas le chemin ! protesta le marin.

— Nous attendons le nouveau pilote. Il t'enseignera. C'est une occasion pour toi d'apprendre la côte et les courants jusque là-bas.

— Je ne peux pas rester à votre bord sans rien faire.

— Qui parle de ne rien faire ? répliqua le Norvégien. Corato avait besoin d'un sondeur, je lui ai donné le nôtre. Tu pourras le remplacer.

— Tu étais donc sûr de ma réponse ? remarqua le Breton, les sourcils froncés.

Le Norvégien ne répondit pas. Ils restèrent un moment silencieux, puis un sourire se dessina sur les lèvres de Pique la Lune. Sa décision était prise. Il se remémorait ses conversations avec Hugues de Tarse. Les rivages de l'Afrique, les îles, les courants, les vents venus du désert, cette mer sans marée, il n'avait qu'un mot à dire… Et il connaîtrait tout cela.

Il tendit la main au stirman.

— J'accepte, fit-il.

— Alors reste avec moi, répondit le Norvégien. Voici notre pilote.

Effectivement, Knut venait vers eux suivi d'un homme vêtu d'une chainse de mauvais drap et des braies courtes des marins, la taille marquée par une ceinture de toile, les pieds nus.

— Voici notre stirman, fit le maître de la hache en présentant Harald.

Knut repartit, non sans avoir jeté un coup d'œil à Pique la Lune qui inclina la tête pour lui faire comprendre qu'il avait accepté leur offre.

Le nouveau venu salua le Norvégien. D'épais cheveux noirs frisaient sur sa nuque, encadrant un visage sec aux pommettes hautes.

— Mon nom est Jacques. Je suis né à Édesse, fit-il avec un accent du Sud.

— C'est un capitaine anglais qui t'a recommandé à moi, déclara Harald. Il m'a dit que tu étais bon marin, que tu connaissais la mer intérieure et que tes prix étaient raisonnables.

— C'est vrai. Mais je veux de la viande et du vin non coupé à tous les repas.

— Tu les auras.

Les manières abruptes de l'homme n'étaient pas pour déplaire au stirman qui ajouta :

— Pourras-tu nous mener jusqu'à Syracuse ?

— Oui. Si Dieu le veut, ajouta-t-il en se signant.

— Tu as déjà navigué sur une esnèque ?

— Non.

— Où sont tes affaires ?

— Près de la passerelle.

— Tu verras les détails avec Knut. Pour les mouillages, tu auras une tente avec notre sondeur. D'ailleurs, je veux te le présenter.

— Mais, j'ai le mien ! protesta Jacques. Il attend sur le quai.

— Eh bien, il te faudra lui dire qu'il se trouve un autre embarquement ! Ça te pose problème ?

238

L'homme secoua négativement la tête.

— J'vais lui dire.

— Fais vite ! On lève bientôt l'ancre. Nous faisons route avec un navire marchand.

— Bien.

— Je te présente Pique la Lune, ton nouveau sondeur.

Et l'homme de gouvernail rejoignit Knut à la poupe. Le pilote hésita, puis salua le Breton d'un bref signe de tête.

— T'as déjà sondé ? demanda-t-il.

— Oui. Pendant des années.

Et, sans bien savoir pourquoi, sans doute pour éviter quelque sourde rivalité entre eux, le Breton se garda de dire que, lui aussi, était pilote.

49

Hugues et Tancrède avaient posé leurs sacs à bord du knörr. Maître Richard n'était pas revenu, ni le chevalier d'Avellino, et il restait des paillasses libres dans le dortoir du château arrière. Giovanni, qui se sentait redevable envers Hugues après l'affaire de La Rochelle, accepta avec enthousiasme l'idée qu'ils se joignent à eux.

« Pour quelques escales seulement », avait précisé l'Oriental qui disait vouloir discuter avec le passager nouvellement embarqué, un géographe d'origine musulmane du nom d'Afflavius. Hugues, qui avait rencontré le flamboyant Al-Idrisi à la cour de Roger II, à Palerme, était curieux de s'entretenir avec un des hommes effectuant pour lui le relevé cartographique du monde.

Les deux navires étaient déjà au large du phare de Cordoue, cette tour de pierre marquant l'embouchure de la Gironde, quand Hugues et Tancrède trouvèrent un moment pour s'isoler loin des autres.

Dans ces parages, le trafic était important et le feu marquant l'entrée du grand fleuve brillait de nuit comme de jour. Ils avaient croisé des galées et des nefs lourdement chargées se rendant à Bordeaux ou le quittant, ainsi que des barques chargées de filets de pêche.

— Il y avait des enfants dans cette étuve, n'est-ce pas ? commença abruptement Hugues.

— Oui, avoua Tancrède. Je me suis réveillé à côté d'une fillette qui ne devait guère avoir plus de douze ans.

— Giovanni était au courant ?

— Oui, mais lui était surtout fasciné par la vieille femme qui tenait le bourdeau, la Guenièvre. C'est avec elle qu'il a passé la nuit. Depuis que nous avons quitté La Rochelle, vous êtes soucieux, mon maître... Je regrette ce qui s'est passé. Jamais je n'aurais dû...

— La lucidité est un bien précieux. Vous êtes en train de l'apprendre à vos dépens, et je préfère que ce soit ici plutôt qu'en Sicile. Là-bas, il vous faudra « garder le nord », comme disent les marins, quoi qu'il arrive. Il est en Orient des venins, des pièges et des beautés que vous ne pouvez imaginer.

— Pourquoi nous avoir fait embarquer sur le knörr ? Même si ce géographe vous intéresse, je ne crois pas que sa présence soit la seule raison de notre venue à bord.

— Vous avez raison, fit Hugues en fouillant dans sa bourse. Connaissez-vous ce médaillon ? demanda-t-il en tendant à son protégé la médaille d'étain qu'il avait conservée.

— Non ! D'où vient-il ? répondit le jeune homme après avoir retourné la pièce, et examiné les symboles et lettres qui creusaient ses deux faces.

— De la main du petit Gabik, le petit mort de La Rochelle, il l'a sans doute arrachée au cou de l'assassin.

— Nous n'avons guère eu le temps de parler depuis que nous avons levé l'ancre et je ne sais pas grand-chose de ce qui s'est passé là-bas.

— Ces bateaux se prêtent moins à la discrétion que les galées, déclara l'Oriental qui, baissant la voix, expliqua en détail les événements de cette nuit-là.

Un instant plus tard, il concluait :

— Il a été achevé d'un coup de poignard en plein cœur.

— Et il portait les lettres de sang ?

— Non. Le garçon s'est battu jusqu'au bout et le meurtrier a été dérangé par l'arrivée des gens d'armes. Il n'a donc pas pu achever son ouvrage, mais je suis sûr que c'est bien le même homme.

— Et cette médaille lui appartiendrait… C'est la première fois que nous tenons une vraie piste.

Il examina à nouveau l'amulette.

— Des poissons chrétiens, un carré magique… Les lettres sont grecques. C'est un talisman de protection ?

— Oui… Vraisemblablement ancien et d'origine byzantine.

— Cela ne nous dit pas à qui il appartient. Depuis le début des croisades, il y a tant d'échanges avec l'Orient que l'on peut trouver ce genre de médailles même aux confins du comté de Champagne.

— C'est vrai. Pourtant, je sais à qui appartient celle-là.

Tancrède était si stupéfait qu'il mit un moment à réagir :

— Mais alors vous connaissez l'assassin ? Qui est-ce ? Comment savez-vous cela ?

— Du calme, du calme ! ordonna Hugues. Il se trouve que je me suis rappelé hier sur qui j'avais vu cette médaille.

— C'est donc pour cela que nous sommes sur le knörr ! Vous aviez des soupçons et l'assassin est à bord !

Tancrède regarda autour de lui. Le moine discutait avec le géographe et, un peu plus loin, Eleonor, suivie de son grand chien, marchait avec son vieux serviteur qui, pour une fois, avait délaissé son branle. À la barre se tenait Bjorn, avec à ses côtés le capitaine Corato et le sondeur de l'esnèque.

241

— Il faut le capturer. Qui est-ce ?

— Vous ne me croiriez pas. Et la médaille ne suffit pas à prouver sa culpabilité, surtout si je suis le seul à l'avoir remarquée à son col. L'homme est habile, notre seule chance est de le prendre sur le fait.

— Mais comment cela ? C'est impossible...

— Non. Rien n'est impossible. Nous allons lui tendre un piège et le jeune Bertil va nous y aider.

— Le mousse de Barfleur !

Le jeune homme fit la grimace.

— Vous voulez le donner en pâture à ce monstre !

— Je vais vous expliquer.

La voix d'Hugues n'était plus qu'un murmure.

L'AIGLE DE SANG

50

Hugues avait longuement parlé, choisissant ses mots avec soin et, au fur et à mesure, le visage de Bertil, le jeune mousse de Barfleur, s'était assombri.

— Ainsi le Bigorneau disait vrai ! finit-il par murmurer. Et moi qui croyais qu'il était simple ! Mais, en fait, l'est bien plus malin qu'il y paraît. Je l'ai compris depuis. Tout de même, c'est pas bien beau ce que vous me proposez. Je risque d'y laisser ma peau.

— Tu seras protégé. Je te l'ai promis.

— Oui, mais vous m'avez dit aussi que l'autre, c'est un malin, ajouta l'enfant avec véhémence. Et faut être un malin pour échapper à tous comme il le fait depuis si longtemps et continuer à tuer. Et pourquoi j'irais me jeter dans sa gueule ? Bien sûr, j'aimais bien P'tit Jean ! Il avait pas mérité qu'on lui fasse ça, mais de là à crever comme lui, y a loin !

— Je ne peux pas répondre à cette question à ta place, Bertil. Et je ne te forcerai en rien. Si tu ne veux pas, j'essaierai de le piéger d'une autre façon.

— Vous ne m'avez même pas dit qui c'est !

— Tu ne le sauras que si tu acceptes. Et il faudra me jurer de ne le répéter à personne. Je t'ai choisi car tu es intelligent. Je t'ai vu agir pendant tous ces jours de navigation. Tu n'as pas froid aux yeux et tu restes calme, même quand il y a du danger.

— Oui. Mais là, c'est pas pareil ! Se tenir droit quand la mer et le vent tonnent, je peux le faire. Attendre tranquille que l'assassin y sorte son coutel, j'suis pas sûr !

— Tu as raison, Bertil. Et peut-être est-ce une mauvaise idée, après tout.

Le bon sens de l'enfant faisait réfléchir l'Oriental. Il se demandait soudain si ce plan qui lui avait paru le plus simple n'était pas trop risqué pour la vie du gamin. Si Bertil perdait son sang-froid... Si lui-même n'arrivait pas à temps...

Le mousse le regardait. Son expression changea, il avait pris une décision.

— Bon, on est d'accord, messire, je risque ma vie. Ma grand-mère disait toujours, et c'était une femme qu'avait de la tête : « Qui vend le bœuf aussi fait le prix ! » C'est moi qui vends le bœuf et, en plus, le bœuf, c'est moi !

Le gamin rassemblait ses idées. Hugues l'encouragea.

— Continue, Bertil. Ta grand-mère avait raison, c'est à toi de dire le prix.

— Vous savez d'où je viens, messire ? De la ferme des Roches, dans les hauts de Barfleur, c'est pas pour me plaindre, mais j'ai pas souvent mangé à ma faim. Ici, c'est mieux, mais j'vais pas rester toute ma vie à me faire secouer les os par la mer. Je voudrais bien, quand tout ça sera fini, devenir serviteur ou, peut-être même, si vous m'apprenez les armes, écuyer, qui sait ?

La demande de l'enfant ne surprit pas l'Oriental. Il s'attendait à quelque chose de ce genre.

— Tu sais ce que tu veux.

— Et alors ? Vous en dites quoi de mon prix ?

— Je ne sais si je ferai de toi un écuyer, un serviteur ou autre chose, mais je te fais promesse solennelle de te prendre avec nous quand nous serons en Sicile et de t'offrir une vie meilleure que celle que tu as connue jusqu'à présent.

Le visage du gamin s'illumina. Il en avait presque oublié le terrible marché qu'il hésitait à accepter.

— Alors, c'est d'accord ! s'écria-t-il.

— C'est d'accord, répéta Hugues en frappant de sa paume celle du mousse.

Ils restèrent un moment silencieux, chacun réfléchissant à l'accord qu'ils venaient de conclure.

— Il te faudra faire en sorte qu'il te remarque. Tu devras lui tourner autour. Tu te souviens de ce que je t'ai expliqué ?

Toute joie s'était brusquement effacée du regard de Bertil.

— Vous ne m'avez toujours pas donné son nom...

Hugues se pencha à l'oreille de l'enfant et lui murmura un nom. Les yeux de Bertil s'écarquillèrent.

— Quoi ! s'exclama-t-il avant de jeter des coups d'œil inquiets autour de lui. Mais c'est pas possible ! Vous êtes sûr ? Pourquoi y ferait ça ?

— Nous le saurons peut-être quand tout sera fini.

Le rouquin frissonna :

— J'aime pas quand vous dites ça ! Et qui va me protéger en plus de vous ?

— Tancrède et Bjorn.

— Je voudrais bien ressembler à Bjorn, plus tard, quand je serai un homme.

Il réfléchit et ajouta :

— La damoiselle de Fierville, elle saura ce que je vais faire ?

— Pourquoi me demandes-tu cela ?

— Parce que j'aimerais bien qu'elle le sache.

— Alors, je le lui expliquerai.

— Comme ça, elle saura que je suis courageux ! J'suis presque un homme mais, après ça, j'en serai vraiment un, n'est-ce pas ?

— Oui.

51

Cinq jours maintenant qu'ils avaient quitté le port de La Rochelle. Le vent était régulier et les deux navires se rapprochaient de la terre. Après la traversée mouvementée du golfe de Gascogne, le pilote avait décidé de mettre le cap sur les confins de la Galice.

Cette partie du pays était peu habitée. Çà et là apparaissaient de pauvres villages cernés de murets de pierre puis des à-pic rocheux où se fracassaient les vagues avec un bruit de tonnerre. Les récifs étaient nombreux et l'océan se parsemait d'écume blanche. Surnommé par les marins la Costa del Morte à cause des naufrages fréquents et des feux trompeurs allumés par les naufrageurs, le rivage était une succession de caps, de rias et de plages.

Enfin, devant la proue, se profila l'impressionnante falaise du cabo Fisterra, le cap Finistère, la fin des terres des Galiciens. L'esnèque le contourna pour gagner l'abri d'une anse. À bord du knörr les marins s'étaient précipités, affalant la grand-voile et prenant leurs places sur les bancs de nage.

— C'est singulier comme ces paysages ressemblent à ceux de la Bretagne, remarqua Eleonor qu'Hugues avait rejointe à l'avant.

L'Oriental la regarda, se faisant la réflexion qu'elle avait changé depuis leur départ de Barfleur. Bien sûr, son pas s'était fait plus ferme, elle s'était habituée à la vie à bord et son visage avait bruni. Mais il y avait autre chose, elle possédait une assurance nouvelle, une curiosité chaque jour plus intense pour ce qui l'entourait et une liberté de parole qui n'était certainement pas la sienne au manoir de Fierville.

— Pourquoi m'observez-vous ainsi ? fit-elle en sentant le poids de son regard.

L'Oriental murmura :

— Vous n'êtes plus la même.

— Je me sens si bien ! avoua la jeune femme. Tellement mieux sur ce bateau, malgré les dangers, qu'enfermée entre quatre murs dans le manoir de mon père !

— Cela se voit. Mais vous ne devez pas oublier qu'un jour, nous arriverons en Sicile et alors…

— Et alors, tout redeviendra comme avant. C'est là ce que vous essayez de me dire ?

— Non. Cela ne sera jamais comme avant, fit-il gravement. Rien ne sera comme avant… Regardez tout en haut de la falaise, cette petite chapelle.

— Vous avez l'art de changer le fil de la conversation, messire, remarqua Eleonor.

— Un poète arabe, Bachâr ibn Burd, a dit : « Demeure seul, ou alors, si tu choisis l'amitié, accepte l'ami tel qu'il est. » C'est dans cette chapelle Notre-Dame de Finibus Terrae que les pèlerins de Compostelle achèvent leur voyage. Sur cette plage où nous allons bientôt accoster, qu'ils jettent symboliquement un vêtement à la mer ou brûlent leurs chaussures pour montrer que, par la grâce du pèlerinage, ils sont devenus des hommes nouveaux.

— Alors je devrais, moi aussi, brûler mes chaussures sur cette plage, murmura Eleonor. Y a-t-il des femmes qui font le pèlerinage jusqu'à Saint-Jacques-de-Compostelle ?

— Cela arrive, et des enfants aussi, mais beaucoup laissent leur vie sur le chemin d'étoiles.

— Messire Hugues.

Elle avait baissé la voix.

— Je voulais vous parler de Bertil.

— Je sais que vous n'êtes pas d'accord. Mais il est trop tard. Bertil a accepté et je compte sur le mouillage de ce soir pour attraper notre homme. Depuis notre départ de La Rochelle, nous avons passé toutes nos nuits à bord, ce qui rendait impossible une tentative de sa part.

— Mais s'il arrive quelque chose à Bertil ? Ce n'est qu'un enfant !

— Il n'aimerait pas vous entendre ! remarqua l'Oriental. Lui qui veut tant prouver qu'il est un homme ! Et je vous jure que s'il arrive malheur à quelqu'un, ce sera à moi !

Eleonor n'aima pas les dernières paroles de l'Oriental. Ces jours de mer les avaient rapprochés. Hugues s'était fait moins distant. Comment l'être, de toute façon, dans un navire où l'on se croisait continuellement ? Quant à elle, elle se levait le matin en pensant qu'ils allaient se voir et, sans chercher plus loin, elle y trouvait du plaisir.

— Vous ne dites plus rien ? demanda Hugues au bout d'un moment.

Eleonor se troubla. Comment lui expliquer qu'en fait elle craignait de le perdre ? Comment lui expliquer ce qu'elle ne comprenait pas elle-même ? Elle biaisa :

— Et si vous vous étiez trompé ?

— C'est vrai que, hormis la médaille, je n'ai guère de preuves, rien que des soupçons.

— Pourquoi ne me dites-vous pas qui il est ? Je ne peux m'empêcher de dévisager les gens qui nous entourent, de les observer en dessous, d'essayer de déceler quelque indice dans les propos qu'ils tiennent…

— Comme tout le monde à bord, Eleonor. Si je vous disais la vérité, vous ne seriez plus la même. Vous êtes trop… Comment dire ? Vive, transparente, pour garder un visage lisse en face de lui.

La jeune femme haussa les épaules.

— Vous avez peut-être raison. Mais alors, personne d'autre que vous ne sait qui il est, hormis le mousse. Songez que s'il vous arrivait malheur à tous deux…

— J'ai laissé une indication que Tancrède comprendra, gravée dans la cire de ma tablette.

— Vous pensez à tout.

Il y avait une franche admiration dans sa voix. Hugues secoua la tête et, en la regardant, murmura :

— Non, pas à tout.

Puis plus haut :

— Nous accostons, je vous laisse. Faites attention à vous et ce soir, promettez-moi de garder Tara attaché près de vous.

Elle regarda l'élégante silhouette s'éloigner et caressa la tête du grand chien qui venait de la rejoindre et, les pattes avant sur le bastingage, aboyait après les marins qui avaient mis les canots à la mer.

52

Bertil se glissa sous l'abri qu'il partageait avec le Bigorneau.

— Ben, t'en fais une tête ! s'exclama ce dernier. T'es tout blanc. T'as mangé un poisson pas frais ou t'as bu ?

— Non. Fais pas attention, c'est la fatigue. J'en peux plus.

— Dors bien alors, fit le Bigorneau en s'enroulant dans sa couverture.

Quelques instants plus tard, il ronflait.

La tête en feu, le jeune Normand se tournait et se retournait sur sa paillasse. Il aurait donné beaucoup pour être à la place de son compère. Il se reprochait d'avoir accepté l'offre d'Hugues et même de s'être embarqué.

Finalement, il n'était pas si mal à la ferme et au moins, là-bas, il dormait sans craindre qu'on le transforme en tamis ! Il frissonna en repensant à P'tit Jean et aux autres victimes. Cela le ramena à la façon doucereuse dont le meurtrier l'avait abordé ce matin-là.

— Rejoins-moi à l'autre bout de la plage dans les rochers au pied de la falaise, du côté du sentier de la chapelle, avait-il murmuré en passant une main sur sa joue.

— Mais je...

— Tu ne veux pas ?

— Ben si, avait répondu Bertil à contrecœur.

— Dès que tout le monde sera couché, file là-bas. Je t'y attendrai, avait ajouté l'autre avant de faire demi-tour.

Bertil avait regardé autour de lui, cherchant à voir si Bjorn ou Tancrède qui le surveillaient à tour de rôle s'étaient aperçus de leur conversation. Mais non, aucun des deux hommes n'était en vue. Il avait bien croisé Hugues un peu plus tard, mais le meurtrier était trop près et il n'avait rien pu lui dire.

Le mousse saisit son mauvais couteau et le glissa dans sa ceinture. Tout le monde dormait. C'était bientôt l'heure.

On grattait à la toile de sa tente. Il retint son souffle, le cœur cognant dans sa poitrine. Est-ce que l'assassin allait venir le tuer jusqu'ici, en plein camp ?

— Bertil. Tu es là ? souffla une voix qu'il ne reconnut pas.

— Je... Je suis là.

La portière s'ouvrit et se referma aussitôt. L'homme jeta un coup d'œil vers Bigorneau qui ronflait comme un bienheureux. L'enfant poussa un soupir de soulagement en reconnaissant Tancrède.

— Tout va bien ? fit le jeune homme à voix basse.

— Oui, enfin, si on peut dire. La bête a avalé l'hameçon.

— Hugues m'a dit que tu avais essayé de lui parler, mais que l'autre était trop proche.

— Je dois le retrouver sur la plage, au pied des falaises, du côté où part le sentier qui grimpe à la chapelle.

— Bien. Nous te suivrons. Ne t'inquiète pas et n'oublie pas de garder tes distances avec lui.

— Ça oui, vous pouvez compter sur moi.

— Quand vous parlerez, ne le laisse jamais s'approcher de toi ni te toucher et, s'il sort son couteau, pas d'héroïsme, tu t'enfuis et si possible vers les bateaux.

— Et si je n'arrive pas à m'enfuir ? demanda le mousse dont la voix s'étrangla à cette idée.

— Alors, tu vends chèrement ta vie et tu appelles du plus fort que tu peux !

— D'accord.

— Tu y arriveras.

La portière était retombée, Tancrède avait disparu. L'enfant resserra sa ceinture de toile, attendit un moment et sortit à son tour.

Il regarda autour de lui, essayant de percer les ténèbres des yeux. Par moments, des nuages occultaient la lune. Le camp était silencieux. Les deux sentinelles discutaient entre elles près du feu. Une dizaine de tentes le séparaient des premiers rochers et, par chance, le campement des guerriers fauves était du côté opposé de la plage. Eux, d'ailleurs, ne dormaient pas. Il entendait le battement lointain de leurs tambours.

Bertil s'allongea sur le sable et commença à ramper pour contourner son abri avant de se glisser derrière un autre. Il allait ainsi depuis un moment quand un bruit léger, tout proche, le fit sursauter. Il sentit un frôlement, un éclair gris passa entre les toiles.

Une des sentinelles s'était dressée.

— Qui va là ?

Le mousse resta pétrifié, le cœur battant. Des pas se rapprochaient. Il ferma les yeux. Puis, à nouveau, des éclats de voix.

L'un des marins se moquait de l'autre.

— C'est ce foutu chien ! protesta le premier. J'ai entendu du bruit. Et le voilà qui déboule comme une flèche.

— Et qu'est-ce que tu veux que ce soit ? Y a personne ici. Y fait son métier de bête, y chasse !

L'enfant rouvrit les yeux. Non loin de là, Tara déchiquetait un lièvre en surveillant les sentinelles du coin de l'œil.

— Regarde le morceau qu'il a attrapé ! Ça le change de la pitance du bord !

Le silence retomba.

Ils avaient regagné leurs postes. Bertil, le front en sueur, patienta encore puis s'éloigna en rampant. Personne n'aperçut la petite silhouette qui se glissait jusqu'aux premiers rochers. De là, il repartit, courbé en deux, jusqu'au pied de la falaise.

Une fois à l'abri, Bertil reprit son souffle tout en jetant des regards inquiets autour de lui et en vérifiant qu'il avait toujours son coutel.

La lune se jouait des nuages, tantôt éclairant ce qui l'entourait d'une lueur blafarde tantôt le plongeant dans une obscurité profonde. Et il ne savait ce qu'il aimait le mieux, de voir ce qui l'entourait ou de n'être pas vu.

Il chercha sans les trouver ses amis. C'était à la fois rassurant et inquiétant. S'il ne les voyait pas, l'assassin ne les verrait pas non plus… Mais s'ils n'étaient pas là, si quelque chose les avait retardés ?

La grève s'étirait devant lui, parsemée d'énormes rochers, d'ombres mouvantes. Bertil avala sa salive, poussa un soupir, puis se remit lentement en marche. Il contourna un éboulis et se redressa. Plus personne ne pouvait le voir du camp. Il était trop loin.

Où pouvait être l'assassin ? Il l'imaginait tapi derrière chaque pierre, enfoui sous le sable. Et s'il le tuait sans même lui parler ? D'ailleurs, hormis ses victimes, personne ne savait comment il faisait ! L'enfant s'arrêta.

La lune avait disparu. Tout était noir. Même le clapot de la mer lui parut différent. Le vent était tombé. Il avait l'impression que le seul bruit était celui de son souffle. Il avança d'un pas, d'un autre, trébucha sur une souche et tomba.

Il ne se redressa pas. Il avait entendu un bruit de pas. Il posa sa main sur sa bouche pour s'empêcher de hurler de terreur. La sueur lui coulait dans les yeux et le piquait.

La lune réapparut. Son cœur s'arrêta de battre. L'ombre d'un homme était debout à quelques pieds de lui ! Il ferma les paupières et murmura une prière à la Vierge Marie puis à Dieu puis à tous les saints qu'il connaissait ! Quand il les rouvrit, l'autre avait disparu.

Bertil se redressa. Il apercevait le serpent sinueux du sentier à flanc de falaise... Encore une vingtaine de toises et il serait au lieu du rendez-vous.

Mais où étaient les autres ? Et Hugues qui lui avait promis... Il se retourna pour regarder le camp là-bas, avec la lueur rassurante de son feu, et il lui parut loin, si loin. De toute façon, il était trop tard pour faire demi-tour. Bertil posa la main sur son coutel et se répéta qu'il ne devait compter que sur lui-même.

Il reprit sa marche et enjamba un bois flotté. Le paysage s'assombrit au passage d'un nuage.

— Tu me cherchais ? fit la voix.

Bertil sursauta et regarda autour de lui. Il était au centre d'un cercle rocheux.

Le meurtrier restait invisible.

— Pourquoi vous vous cachez ? demanda-t-il d'une voix mal assurée, saisissant son coutel.

— Je ne me cache pas ! Je suis tout près.

— Tout près ! répéta l'enfant en reculant pas à pas.

Il se cogna, sentit un souffle sur sa nuque et des doigts se refermèrent sur ses épaules. Sous le coup de la surprise, il cria et lâcha son coutel. En essayant de le faire taire, l'assassin avait relâché son étreinte. L'enfant réussit à se dégager et partit en courant droit devant lui. La lune éclairait la mer. Un nuage arrivait. Il se dit que s'il arrivait jusqu'aux vagues, il plongerait.

— Reviens !

Il courait toujours. La lune disparut. Il sentit qu'on agrippait sa chainse et il roula à terre.

— Lâchez-moi ! hurla-t-il.

L'autre le frappa, le souleva et le jeta en travers de ses épaules.

À moitié assommé, Bertil se sentait perdu. Il imaginait les coups de poignard qui allaient le transpercer, entailler ses chairs. Il revit le corps ensanglanté de P'tit Jean sur son brancard et se rappela les paroles d'Hugues : « N'oublie jamais que tant que tu es en vie, tu peux gagner ! » Il mordit la main qui le maintenait et réussit, en ruant des jambes et des bras, à déséquilibrer l'homme. Il se retrouva par terre. La lune était sortie des nuages. Puis tout se ralentit. La lame allait le frapper. Le visage de l'assassin était effrayant.

Le hurlement qu'il s'apprêtait à pousser resta coincé dans sa gorge.

Une ombre avait jailli des rochers et avait sauté sur l'assassin. Les deux silhouettes roulèrent à terre étroitement enlacées. Bertil se redressa d'un bond et s'écarta.

Bjorn et Tancrède venaient d'apparaître. Le géant souleva le gamin et le plaça derrière eux.

— En arrière ! ordonna-t-il.

L'enfant obéit, sans quitter des yeux les combattants. Ils s'étaient remis debout et se faisaient face, se tournant autour, les poignards levés. L'assassin attaqua une première fois, l'Oriental esquiva. L'homme recommença, sa lame frappa dans le vide. Puis, d'un coup, ce fut le tour d'Hugues. Et son geste avait été si rapide que le meurtrier ne réussit pas à le parer. Il recula en trébuchant, une balafre sanglante en travers de la joue. Une seconde blessure entailla bientôt son épaule. Il haletait. Hugues était partout à la fois. L'homme faisait des moulinets de son poignard et reculait en trébuchant. On sentait que la panique le gagnait.

Bertil écarquilla les yeux.

Hugues venait de frapper. La main ensanglantée, son adversaire avait lâché son arme en grimaçant. L'Oriental, les traits durs, l'écarta d'un coup de pied.

— Je me rends ! Ne me tuez pas ! supplia l'assassin en tombant à genoux.

La lueur de la lune éclaira son visage inondé de larmes. Bjorn et Tancrède se regardèrent, stupéfaits.

— Mais ce n'est pas possible ! Je croyais que c'était... commença Tancrède.

— Lui ! fit Bjorn.

— Vous ne m'auriez jamais cru... déclara Hugues en nettoyant sa lame dans le sable.

L'appel rauque d'un cor lui coupa la parole. Les sentinelles avaient donné l'alerte. Le grand chien galopait vers eux. Là-bas dans le camp, les marins sortaient des tentes. Les hommes saisissaient des torches. En un instant, les guerriers fauves s'étaient mis en place autour des bateaux. Magnus accourait vers eux avec les Norvégiens.

53

Il avait fallu toute la persuasion d'Hugues de Tarse pour que les guerriers fauves ne massacrent pas l'assassin. Le chef orcadien avait demandé qu'on se réunisse sous sa tente. Les hommes étaient assis en cercle. Les visages étaient fermés, sévères. Pour l'instant, aucun mot n'avait encore été prononcé.

Bertil, intimidé d'avoir été accepté parmi les guerriers, se rapprocha insensiblement de Tancrède. Il jetait de temps à autre des coups d'œil vers l'assassin agenouillé au milieu d'eux.

Hugues s'était levé. Il expliqua ce qui s'était passé là-bas, sur la plage, et le rôle de l'enfant. Le piège qu'ils avaient tendu au propriétaire de la médaille.

— En fait, nous avons trouvé l'assassin grâce aux enfants, conclut-il en désignant le mousse. Et c'est justice que cet homme qui a tué tant d'enfants périsse par eux. Sans le courage de Gabik à La Rochelle, nous n'aurions jamais pu mettre la main sur cette médaille.

Hugues montra le talisman.

— Une amulette qui a condamné celui qui la portait. Sans la vaillance de Bertil, enfin, nous n'aurions jamais pris le meurtrier l'arme à la main.

— C'est vrai ! approuva l'Orcadien.

Harald et Knut avaient tourné la tête vers le jeune Normand. Tancrède posa sa main sur son épaule. Bertil se redressa.

Était-ce cela, devenir un homme ? Était-ce ce sentiment de fierté, de reconnaissance, d'appartenance ?

Hugues s'approcha de lui.

— Tu peux nous laisser, maintenant, Bertil, et regagner ta tente. Nous devons décider de son sort.

Toutes ces émotions avaient épuisé l'enfant et, passé ce moment de fierté, il ne rêvait plus que de se glisser dans son sac de toile et de dormir.

Il se leva, s'inclina devant les hommes qui lui rendirent son salut et sortit.

Le capitaine Corato répétait :

— Un brave gosse. Mais tout de même, c'est pas possible, c'est pas possible… Et comment je vais faire, maintenant ? Et qu'est-ce que je vais dire ?

Tancrède regardait l'assassin et cherchait, en vain, à voir en lui celui qu'il avait connu. Des pensées contradictoires s'affrontaient en lui. Ne devait-il pas se lever, plaider la cause de celui que tous allaient condamner ?

— Il doit mourir ! déclara Magnus.

— Oui, approuvèrent les Norvégiens d'une même voix.

— Je propose de le remettre à la justice d'un prévôt dès que nous aurons touché aux rivages de la mer intérieure, fit Hugues.

— Qu'avons-nous besoin d'un prévôt pour faire justice ? rétorqua l'Orcadien. Il ne saura rien de celui-là, alors que nous savons tout. À mort !

Hugues allait répondre, mais Tancrède s'était levé et faisait face à Magnus.

— Cet homme m'appartient ! déclara-t-il gravement. Je désire qu'il soit jugé et non exécuté.

Au milieu de la tente, Giovanni leva un visage incrédule vers le jeune homme.

Hugues restait silencieux, sa main avait glissé vers son cimeterre, ses yeux scrutaient l'ombrageux Orcadien. L'homme avait le sang vif et n'aimait guère la contradiction. Mais au lieu de s'emporter, il jura en norrois.

— Vous n'avez pas froid aux yeux, observa-t-il. Mais expliquez-vous, je ne comprends pas.

— Alors que des marauds m'attaquaient à Barfleur, cet homme m'a sauvé la vie. Il y a une dette d'honneur entre nous. Je ne peux laisser personne porter la main sur lui.

— Cette demande, sire Tancrède, vous honore. Même si elle ne me convient pas.

Magnus se tut. Il regardait Giovanni Della Luna qui gisait au milieu de la tente et s'était mis à trembler. Son visage et ses vêtements étaient souillés de sang. Il était bleu des coups qu'il avait reçus alors qu'Hugues et Tancrède l'entraînaient non sans mal vers la tente de l'Orcadien. Ses lèvres et ses arcades sourcilières étaient fendues.

— J'accepte de vous abandonner cet homme… À une condition.

Une expression maligne s'était dessinée sur ses traits.

— Je vous écoute, répondit Tancrède.

— Il vous appartiendra… tant que ses pieds toucheront le sol. Ensuite, il sera à moi et je disposerai de sa vie comme il me plaira.

Désarçonné par cette étrange requête le jeune homme ne sut que répondre.

— Nous acceptons, déclara Hugues.

— Alors, buvons !

Magnus se leva, et ouvrit l'un de ses coffres en bois sculpté, saisissant des cornes à boire et y versant l'hydromel de sa gourde.

— J'aimerais parler au prisonnier, demanda Hugues alors qu'il choquait sa corne contre celle de l'Orcadien.

— S'il n'y avait que moi, il y a longtemps qu'il aurait la langue tranchée et le reste aussi ! Je vous laisse ma tente. Nous allons mettre un tonneau en perce, mes guerriers et moi devons fêter sa capture avec les Norvégiens.

54

La portière de toile était à nouveau retombée. Tancrède et Hugues se retrouvèrent seuls avec le Lombard. Il restait prostré sur le sol.

— Ils vont me tuer ! gémit-il.

— N'oubliez pas que vous avez tué, vous aussi, répliqua sèchement Hugues. Et sans pitié aucune. Je ne suis pas sûr que nous ayons eu raison d'arrêter le bras de ces hommes. De toute façon, que ce soit ici ou ailleurs, Giovanni, il vous faudra payer.

— Qu'est-ce qu'il voulait dire avec « mes pieds qui touchent le sol » ? Dès qu'ils me hisseront à bord, ils me tueront. Sur le navire, je ne toucherai plus terre !

— Je pense que Magnus comptait juste, par égard pour Tancrède, vous accorder une nuit de sursis. Mais rassurez-vous, j'ai pensé à tout cela, assura l'Oriental avec un fin sourire. Vous continuerez à toucher terre, j'y veillerai.

Tancrède avait compris l'idée de son maître.

— Si vous versez du sable sous ses chaussures…

— … Ou si je remplis ses chausses de terre…

— Même sur le pont du knörr, conclut Tancrède, il continuera à toucher terre.

Le silence retomba. Les tremblements qui agitaient le marchand se faisaient plus espacés. L'homme se calmait.

Tancrède le regarda, essayant de retrouver son joyeux compagnon de voyage dans cet être pitoyable.

— Jamais je ne vous aurais cru coupable ! avoua-t-il. Mais quand nous étions aux étuves, comment avez-vous fait ? Vous n'étiez pas avec Guenièvre ?

— Si, bien sûr, répondit le marchand d'une voix monocorde qu'il ne lui connaissait pas. Mais pas toute la nuit, et puis qu'allez-vous imaginer ? Que je suis capable d'enfourcher une femelle ? Non, Guenièvre a été grassement payée. On a bu et mangé ensemble, fumé les herbes de l'Orient aussi. Elle m'avait arrangé une rencontre avec cette vieille qui, parfois, lui fournit des fillettes ou des garçonnets, et je me suis rendu chez le gosse.

— Ainsi Nicolas de Ciré tenait son coupable.

— Et ce gamin à bord, P'tit Jean ? demanda Hugues.

— J'étais encore dans le dortoir quand vous êtes entré avec Bjorn. Il a fallu que j'attende pour sortir et, avec le remue-ménage qu'il y a eu à bord, ce n'était pas difficile.

— Et Barfleur ?

— Un mousse à bord, quelques gamins en ville... Là aussi, j'ai bien failli me faire surprendre par les hommes du prévôt et ce satané chien qui me tournait autour. Je crois qu'il a toujours su que j'étais le meurtrier, celui-là ! S'il avait pu parler ...

— Il y en a eu beaucoup d'autres ? demanda Hugues.

Le marchand s'était redressé et, tant bien que mal, assis sur un coffre. Sa voix était toujours aussi lasse.

— Je ne sais plus...

Sa bouche s'était affaissée, son regard était terne, il avait des mouvements prudents, économes, de vieillard.

« Il est déjà mort », songea Tancrède. Le gai compagnon avait disparu, l'homme qui lui parlait avec enthousiasme de la Sicile. Il se demanda comment il avait pu se lier avec lui. Pourquoi rien ne l'avait-il averti de sa véritable nature ? Giovanni aurait dû porter quelque stigmate. Une tache montrant à tous combien son âme était souillée.

— C'est pas moi ! cria soudain le Lombard. C'est pas moi qui les ai tués, c'est LUI !

— Comment ça ? Qui, LUI ? demanda Hugues qui n'avait pas quitté des yeux le marchand.

— LUI. Mon père. Le patriarche : maître Della Luna.

L'homme tendit ses mains entravées vers Tancrède et supplia :

— Détache-moi !

Comme le jeune homme hésitait, il insista :

— Où veux-tu que j'aille avec tous ces guerriers dehors qui ne demandent qu'à me tailler en pièces ?

Après un signe affirmatif de son maître, Tancrède coupa les liens qui attachaient les poignets du Lombard.

Une fois debout, celui-ci ôta son pourpoint, puis sa chainse, mettant son dos à nu avant de se tourner vers le brasero. À la lueur des flammes, les deux hommes aperçurent la boursouflure d'une ancienne cicatrice. Malgré les années se lisaient encore les trois lettres V R S.

— J'avais huit ans quand mon père m'a gravé ça dans la chair avec un fer rouge !

La voix du marchand était montée dans les aigus sur ces derniers mots. Il semblait revivre l'atroce scène. Ses yeux se révulsaient.

— Devant mes frères et les serviteurs et esclaves de notre maison, IL a écrit : *Vade retro, satana !* Pour exorciser le diable que je portais en moi. Devant tous, j'ai dû jurer que jamais je ne recommencerais.

« *Mais tu as recommencé !*

La voix qui sortait soudain de la gorge du Lombard était éraillée comme celle d'un vieillard.

Une expression sournoise se dessina sur ses traits. C'est d'un ton d'enfant plaintif qu'il se répondit à lui-même.

— Nous ne faisions rien de mal ! On jouait.

« *Mensonge !* gronda la voix rauque. *Vous étiez dans le même lit !*

« Tu l'as tué et mutilé sous mes yeux ! gémit Giovanni, des larmes affluant à ses paupières.

262

« *Pour que tu apprennes ! Mais cela n'a servi à rien. Tu as recommencé*, fit la voix sépulcrale.

« Jamais ! gémit le marchand en tombant à genoux.

« *Tu mens !*

Comme cinglé par le cuir d'un fouet, le marchand s'était recroquevillé sur lui-même. Il hurla d'une voix qui n'avait plus rien d'humain :

— Je les ai tous tués avant qu'ils me touchent et j'écrivais les lettres dans leur dos comme toi, afin qu'ils ne recommencent pas !

Tancrède s'était reculé de quelques pas. La peur, le dégoût et la pitié s'affrontaient en lui depuis que la dramatique dualité du Lombard avait pris corps. Celui qui était son ami avait disparu, ses traits s'étaient distordus sous l'effet de la souffrance, cette inséparable alliée de la folie.

— Il a perdu la raison, murmura-t-il, conscient de la banalité de ces mots en regard de la tragédie qui se jouait devant lui.

— Depuis le jour où son père l'a marqué au fer rouge et a tué son jeune ami sous ses yeux, répondit Hugues. Il aura passé toutes ces années à répéter le châtiment qu'on lui a infligé.

55

Quand ils sortirent de la tente après avoir, à nouveau, lié le prisonnier qui avait sombré dans un état d'hébétude profonde, un guerrier fauve les aborda.

— Messire de Tarse !

— Oui ?

L'homme désigna l'esnèque échouée sur le sable d'où pendait une longue corde.

— Notre chef exige qu'il soit attaché pour le reste de la nuit au dragon de la proue.

— Bien. Du moment que ses pieds touchent terre. Tancrède et moi assurerons la garde.

Le guerrier s'inclina :

— Comme vous voudrez, messire.

L'Oriental se tourna vers Tancrède :

— Allez vous reposer un peu, je prends le premier tour.

Tancrède avait l'impression qu'il venait à peine de s'allonger quand Hugues lui toucha l'épaule.

— À vous ! Tout va bien.

Le jeune homme sortit de la tente en s'étirant. L'air était glacé, la lune éclairait la mer. Giovanni était toujours attaché et, malgré l'inconfort de sa position, debout contre la proue, il s'était endormi affalé dans ses liens.

— Il touche terre, remarqua Tancrède avant d'aller s'asseoir sur un rocher non loin de là, sa lame courbe en travers des genoux.

Il se souvint d'avoir caressé Tara qui se promenait dans le camp. Puis, il y eut un frôlement derrière lui… et un trou noir.

Il bascula en avant, assommé.

Les appels d'Hugues le ramenèrent à lui.

— Ça va ? demanda l'Oriental avec inquiétude.

Tancrède s'assit, tâtant son crâne et le sang coagulé sur sa nuque.

— Je croyais que c'était le chien qui était revenu. Je ne me suis pas retourné…

Hugues l'aida à se mettre debout. Il ne fit aucune remarque, aucun reproche, mais son visage était grave.

— Où est Giovanni ? Et le bateau ? s'écria Tancrède en suivant le regard de son maître tourné vers l'esnèque qui se balançait au milieu de la baie.

— Ses pieds ne touchent plus terre ! C'est ma faute, répondit Hugues, j'aurais dû deviner que Magnus avait son idée, mais je ne suis pas un homme de mer. Je ne pensais pas que la marée monterait suffisamment haut pour soulever l'étrave et son prisonnier. Dès ce moment, l'Orcadien avait gagné. Quand je suis sorti de la tente pour vous relever de votre quart, il était trop tard. Ils l'avaient hissé à bord et avaient gagné le large.

— Mais ils m'ont eu par traîtrise ! s'indigna le jeune homme. Si j'avais été réveillé, j'aurais pu empêcher...

— Magnus n'aimerait pas le mot que vous venez d'employer ! Il vous dirait qu'il était délié de tout engagement. Et quant à moi, je vous avouerai que je préfère qu'ils vous aient assommé plutôt que de vous passer au fil de la hache.

— Giovanni...

Tancrède pâlit et se tut. Il avait compris pourquoi tant de mouettes tournoyaient autour du mât.

Une silhouette sanglante était attachée à la hune. Les guerriers fauves avaient déployé les poumons du Lombard dans son dos comme des ailes.

Tancrède se rappela le nom que les Vikings donnaient à ce supplice : l'« aigle de sang », jadis une offrande au dieu Odin.

Il espéra simplement que Giovanni était mort avant... Et se détourna pour vomir.

LES COLONNES D'HERCULE

56

Le cadavre de Giovanni, enveloppé d'un linceul et attaché à une lourde pierre, avait basculé par-dessus bord. Il avait coulé à pic et Tancrède l'avait regardé s'enfoncer en pensant à l'homme qui lui avait sauvé la vie. Il n'avait pas vraiment connu l'autre, le meurtrier, sauf pendant ce bref interrogatoire sous la tente de Magnus. En cet instant, alors que la forme blanche disparaissait dans les profondeurs de l'océan, il avait préféré se souvenir du singulier compagnon qui aimait par-dessus tout la tragédie grecque et Syracuse.

Les jours avaient passé. Bjorn secondait Corato à la barre et le capitaine avait insisté pour qu'Hugues et Tancrède restent à bord du knörr. Eleonor et Afflavius partageaient leur temps entre l'observation du ciel et de longues conversations avec frère Dreu.

Tancrède, quant à lui, avait repris sa place aux avirons.

Ils avaient croisé nombre de bateaux de pêche ou de commerce, et même des navires de guerre almohades. Mais nul n'avait fait mine de les attaquer.

L'esnèque et le knörr avaient poursuivi leur route, longeant les côtes du royaume d'Alphonse Ier du Portugal puis l'estuaire de Lisboa avant d'aborder les royaumes berbères du sud de l'al-Andalus. Alors qu'ils entraient dans le golfe de Cadix le paro vert pâle était réapparu, les suivant à distance.

Enfin, devant eux, se dessina l'entrée du détroit de Gibraltar contrôlé par le puissant calife almohade 'Abd al-Mu'min.

— Le diable de la Seudre nous suit toujours, remarqua Hugues alors que le navire de guerre se rapprochait.

— Croyez-vous qu'il va nous suivre jusque dans les eaux de la mer intérieure ? demanda Tancrède qui, debout sur le château avant, fixait la silhouette fine du paro.

— Je le crois... Et je crois aussi qu'il est possible qu'il reste un, ou des hommes à sa solde à bord.

— J'ai longtemps pensé que le traître était le pèlerin, maître Richard, avoua Tancrède. Mais je croyais aussi que c'était lui le meurtrier ! Je l'ai si souvent vu parler aux mousses ou aux enfants à terre.

— C'est vrai, je l'avais remarqué. Mais il est plus facile d'avoir des informations de la bouche d'un mousse ou d'un enfant que de celle d'un marin !

— Qu'est-ce qui vous fait croire qu'il nous trahissait ?

— Plusieurs choses : la première étant son empressement à me justifier la raison de sa promenade nocturne à Maillezais. Ensuite, comme l'a dit très justement Corato, il n'avait ni le parler ni la musculature d'un drapier. Corato m'a confié l'avoir vu prendre sa place pendant la tempête sur les bancs de nage comme les autres rameurs. Ces avirons ne se manient pas aisément, vous l'avez appris à vos dépens.

— C'est vrai, répondit Tancrède en se souvenant de sa maladresse des débuts.

— Ce jour-là, notre homme s'est trahi. Il ne pouvait, sans craindre que nous le démasquions, continuer avec nous, mais il attendait encore les ordres de son maître. C'est pourquoi, prudemment, à l'escale de La Rochelle, il m'a dit que, peut-être, il poursuivrait avec nous.

— Mais il n'est pas revenu. Alors, pourquoi dites-vous qu'il y a quelqu'un à bord ?

— Je crois que le diable de la Seudre est un homme prévoyant.

— Pourquoi n'abandonne-t-il pas ?

— D'abord à cause du trésor, mais surtout parce qu'il est de la même race que l'Orcadien. Nous l'avons mis en déroute et avons tué nombre de ses hommes. Ce qui, d'après ce que nous avons entendu de lui, ne lui était jamais arrivé. Je pense qu'il a fait de tout cela une affaire d'honneur. Sinon, il aurait renoncé depuis long-temps et ne serait pas à faire route derrière nous.

— Et maintenant ? S'il y a un homme à lui dans ce bateau ou dans l'autre, il pourrait garder la distance.

— D'une part, je crois qu'il nous défie et d'autre part, il veut faire croire à d'éventuels assaillants qu'il fait route avec nous. Les attaques sont nombreuses dans ces parages…

Hugues s'interrompit et posa sa main sur l'épaule de Tancrède, lui désignant la côte à tribord.

— Regardez Tancrède ! L'Afrique.

Bien que voilés par une brume matinale, de lointains sommets montagneux se teintaient d'or.

— C'est comme d'être sur le seuil de sa maison, murmura Tancrède d'une voix que l'émotion étranglait.

— Oui, fit Hugues en observant la girouette qui indiquait un fort vent d'est.

Au bout d'un moment, le détroit se resserra. Ils apercevaient les remparts d'un port.

— D'un côté l'al-Andalus, contrôlé par les Almohades avec Tarifa. De l'autre, le Maghreb avec ses chefs berbères et arabes. Le vent est bon ! Le pilote de l'esnèque connaît la passe. Il y a ici de puissants courants de marée qui ne cessent de s'inverser.

Tancrède entendait à peine les paroles de son maître. Il sentait le vent sur sa nuque, des embruns mouillaient son visage.

— Vous souvenez-vous de nos longues discussions sur Hercule ? Ce héros grec qui, toute sa vie, a cherché à franchir les limites du monde ? Les Colonnes d'Hercule sont devant vous.

Le jeune homme regarda l'énorme rocher que lui désignait son maître.

— À bâbord, le mont Calpé des Grecs et, à tribord, du côté de l'Afrique, le promontoire d'Abyla. C'est ici qu'Hercule a séparé les deux continents. Ici aussi que passèrent Phéniciens et Carthaginois pour aller chercher l'or d'Afrique. Les Arabes ont appelé ce rocher Djebel Tarik.

Le jeune homme était si tendu que les jointures de ses mains blanchissaient sur le bordage.

— Nous passons la porte, Tancrède.

Une bourrasque poussa d'un coup le navire vers la mer intérieure.

— Il est temps aussi que vous sachiez quel est le nom de votre père.

Le jeune homme, stupéfait, se tourna vers son maître.

— Vous êtes le fils de Roger, duc de Pouilles.

Tancrède retint son souffle.

— Le duc était l'héritier préféré de Roger II de Sicile, le prince qui aurait dû lui succéder sur le trône à la place de Guillaume Ier.

— Je suis…

— Vous êtes Tancrède d'Anaor. Votre père vous a légué des terres et un fortin planté sur un piton rocheux au cœur du Val di Noto. Votre mère, Anouche, y a vécu. Sa sœur y habite toujours.

— Tancrède d'Anaor, répéta le jeune homme.

— Il vous faudra apprendre tout ce que ce nom veut dire, murmura Hugues.

Puis, il ajouta :

— Je vous laisse. Il est bon que vous soyez seul pour pénétrer ici.

Ses yeux brillaient et il disait cela comme on parle d'un temple. Il se retira si discrètement que Tancrède ne s'en aperçut pas.

Le jeune homme avait du mal à réaliser que dans son sang coulait celui du grand roi, Roger II de Sicile. Du mal aussi à comprendre qu'enfin il touchait son rêve et que, devant lui, s'étendait la « mer intérieure » dont parlait Pline.

Pourtant, l'odeur n'était plus la même. C'était indéfinissable. Moins de sel et d'algues peut-être, des parfums qu'il ne connaissait pas qui venaient de l'Afrique toute proche. Les couleurs des terres aussi étaient différentes et le soleil partout paraissait plus présent.

Un grand souffleur apparut soudain près de l'étrave. Depuis qu'ils étaient en mer, il n'en avait jamais vu de si proche. Sa peau avait l'aspect de la roche, marquée de profondes et mystérieuses cicatrices. Le Léviathan resta un moment à quelques pieds de la coque. Il crut même apercevoir son œil, puis la bête disparut à nouveau dans les profondeurs.

Tancrède répéta :

— Anaor…

ANNEXES

À l'usage du lecteur

Archais : étui contenant l'arc et les cordes de rechange.

Bersekir ou **Berserkr :** terme scandinave, guerrier fauve saisi de fureur meurtrière au combat.

Betas : vient de l'ancien scandinave *beitiass* qui désignait sur les navires vikings une perche pour tendre la voile. Wace l'emploie dans *Le Roman de Brut*.

Bliaud : tunique longue de laine ou de soie, aux manches courtes dans le Sud et longues dans le Nord, serrée à la taille par une ceinture. Habit de la noblesse ou des riches bourgeois.

Brai : résidu de distillation de résine servant à enduire le fond des coques.

Braies : caleçon plutôt long et collant au XIIe siècle, retenu à la taille par une courroie.

Broigne : justaucorps de grosse toile ou de cuir, ancêtre de la cotte de mailles, recouvert de pièces de métal.

Cainsil : fine toile de lin pour chemises.

Calengue : vient de *kerling* qui signifie femme en ancien scandinave. Ce terme désigne par métaphore la pièce de bois où vient s'implanter le mât. Nommé carlingue en français actuel.

Caparaçon : armure ou harnais dont on équipait les destriers.

Carreau : trait d'arbalète dont le fer avait quatre faces.

Chainse : équivalent de la chemise, tunique en toile ou en lin à manches fermées.

277

Chaperon : petite cape fermée avec capuche, portée comme un chapeau en été, torsadée sur le crâne.

Chausses : chaussettes en drap, tricot ou laine, parfois munies de semelles de cuir et maintenues par des lanières s'attachant au-dessous du genou. Un haut-de-chausses était l'équivalent de nos bas.

Cidre *moratum* : cidre fait à base de mûres.

Cordouan : cuir tanné.

Couire : sorte de carquois, permettant le transport des flèches.

Courtepointe : couverture de lit piquée et rembourrée.

Destrier : cheval de bataille, il devait son nom au fait que son cavalier le tenait de la main droite pour l'amener au plus près de l'adversaire.

Doloire : hache de charpentier à fer long et à un seul tranchant, utilisée pour aplanir les bordées.

Eschets : ancien nom du jeu d'échecs.

Escoffle : pèlerine utilisée pour la chasse, en cuir ou en fourrure.

***Esnecca regis* :** esnèque royale utilisée par Henri II Plantagenêt et faisant pour lui la liaison régulière entre Barfleur et Portsmouth.

Esnèque : navire de guerre (ou long bateau, *langskip*, inspiré des premiers navires vikings). L'esnèque a une vingtaine de bancs de nage, elle utilise quarante rameurs et peut embarquer soixante à quatre-vingt-dix hommes.

***Frilla* :** nom donné aux concubines légalisées par l'union *more danico*, à la manière danoise, et qui légitimait les enfants. Union contestée, puis interdite par l'Église.

Harnois : désigne tout l'équipement d'un homme de guerre (broigne, épées, lance, bouclier...), mais aussi l'habillement du cheval, voire le mobilier transportable dans les camps.

Hypocras : vin mêlé d'épices.

Jarl : titre nobiliaire scandinave d'origine obscure. Équivalent d'un prince.

Knörr : bateau viking capable d'affronter la haute mer, servant dans ce texte de navire de charge.

Maître de la hache : surnom du charpentier de marine en Normandie.

Malcuidant : qui nourrit de mauvaises pensées.

Malemort : mort violente et cruelle.

Mantel : manteau semi-circulaire comme une cape, attaché à l'épaule par une agrafe nommée tasseau.

More danico **:** à la « mode danoise », déclaration qui légitime la femme non épousée chrétiennement et ses enfants.

Orfroi : passementerie, frange et broderie d'or employées pour border les vêtements. On disait « orfraiser » une robe.

Paro : petit navire de guerre utilisé au Moyen Âge par les pirates le long des côtes atlantiques.

Pastieri : boulettes de viandes d'agneau et de chevreau garnies d'œufs et de fromages, très poivrées, que l'on mange en Sicile.

Restrait : lieux d'aisances, comportant un conduit plus une fosse où l'on mettait des cendres de bois qui décomposaient les matières organiques.

Samit : riche tissu à trame de soie et chaîne de fil.

Sigler : faire voile.

Skeio : navire de guerre de plus de vingt-cinq bancs.

Stirman : vient de l'ancien scandinave, ce terme désigne l'homme du gouvernail.

Tialz : vient de l'ancien scandinave *tjald*, tente de toile goudronnée dressée sous la voile pour passer la nuit au mouillage.

Tinel : masse d'armes.

Tiraz : atelier d'État hérité des émirs fatimides comme on en connaissait à Cordoue et à Bagdad, où les femmes s'affairaient aux tissages d'étoffes de soie et à la confection de vêtements princiers. Les mêmes femmes se retrouvaient au harem royal.

Ultreïa ! **:** *E Ultreia !* pourrait se traduire par : « Plus loin, allons ! » Paroles d'un chant médiéval (*Codex* de

1140), qu'utilisaient les pèlerins pour rythmer leur marche sur le chemin de Saint-Jacques-de-Compostelle.

Vagant : errant.

Varengue : de *(v)rang*, courbe, pièce inférieure d'un couple. La varengue chevauche la quille à laquelle elle est assemblée. Le mot subsiste dans le patois normand de Jersey.

Les mesures médiévales

Lieue : environ 4 kilomètres.

Toise : équivaut à 6 pieds, soit près de 2 mètres.

Aune : 1,188 mètre.

Pied : 32,4 centimètres.

Pouce : 2,7 centimètres.

Coudée : distance séparant le coude de l'extrémité du médius, environ 50 centimètres.

Les heures

Matines, ou vigiles : office dit vers 2 heures du matin au Moyen Âge.

Laudes : office dit avant l'aube.

Prime : office dit vers 7 heures du matin.

Tierce : office dit vers 9 heures du matin.

Sexte : sixième heure du jour, vers midi.

None : office dit vers 2 heures de l'après-midi.

Vêpres : du latin *vespera*, « soir ». Office dit autrefois vers 5 heures du soir.

Complies : office dit après les vêpres, vers 8 heures, c'est le dernier office du soir.

Ils ont vécu au XIIᵉ siècle

Royaume de France

Abélard : né en 1079, mort en 1142. Philosophe, théologien et dialecticien français. Fonde l'abbaye du Paraclet, dont Héloïse deviendra l'abbesse. Bernard de Clairvaux obtint sa condamnation au concile de Sens en 1140. Son ouvrage *Sic et non* (*Le Pour et le contre*) figurait dans les manuscrits du Mont-Saint-Michel.

Bernard de Clairvaux : né en 1091, mort en 1153. Moine à Cîteaux en 1112, premier abbé de Clairvaux en 1115. Se rend à Albi en juin 1145 pour rencontrer Henri de Lausanne et l'affronter. Il prêche la seconde croisade à Vézelay en 1146 et soutient des polémiques contre l'ordre de Cluny.

Louis VII : né en 1120, mort en 1180. Roi de France, sacré à Reims le 25 octobre 1131. Marié en 1137 à Aliénor d'Aquitaine. Participe à la seconde croisade avec Conrad III. Divorcé en 1152. Veuf de Constance de Castille, il se remarie avec Adèle de Champagne, mère de Philippe II Auguste.

Duché de Normandie, royaume d'Angleterre

Aliénor d'Aquitaine : née en 1122, morte en 1204. Divorcée en 1152, elle se remarie la même année avec Henri Plantagenêt dont elle eut huit enfants

(dont Richard Cœur de Lion et Jean sans Terre…).
Elle finit ses jours à l'abbaye de Fontevrault, où elle
est enterrée.

D'Aubigny : famille détenant l'office héréditaire de
bouteiller.

Henri II Plantagenêt : né en 1133, mort en 1189. Roi
d'Angleterre, comte d'Anjou, duc de Normandie et
d'Aquitaine. Il fait sa première expédition guerrière à
l'âge de treize, quatorze ans. Il rencontre Aliénor
d'Aquitaine alors qu'il n'a que dix-huit ans et
l'épouse à Poitiers le 18 mai 1152. Il est roi d'Angleterre à vingt et un ans. Il aura huit enfants de son
épouse : Guillaume, Henri, Mathilde, Richard, Geof-
froi, Aliénor, Jeanne et Jean. À la suite de l'assassinat
de Thomas Becket, il se soumet à une pénitence
publique sur le parvis de la cathédrale d'Avranches.
Au cours d'une vie parsemée de révoltes et de conquêtes, il affrontera ses propres fils, dont Richard Cœur de
Lion. Son dernier adversaire sera Philippe Auguste. Il
mourra à Chinon à l'âge de cinquante-six ans.

Al-Andalus (Espagne) et royaume du Portugal

'Abd al-Mu'min : né en 1130, mort en 1163. Puissant
calife almohade, il fit ériger de nombreuses fortifica-
tions notamment à Séville et « fonda » celle du Djebel Tarik (Gibraltar) en 1160.

Alphonse Ier du Portugal : né en 1110, mort en 1185.
Alphonse Henri, fils de dom Henrique, comte du Portugal, et d'une des filles du roi Alphonse VI de Castille et Léon. Après la mort de son père, il chasse sa
mère et entre en révolte contre le roi de Castille et
Léon. En 1143, Alphonse VII accepte qu'il porte le
titre de roi du Portugal, sous la condition qu'il recon-
naisse la primauté de l'empire de Castille et Léon. En
1179, Alphonse Ier du Portugal obtiendra du pape la
reconnaissance de son titre et de son *regnum*.

Royaume de Sicile et d'Italie

Abou Abdullah ibn Mohammed al-Idrisi : né à Ceuta vers 1099, mort vers 1165. Descendant du Prophète, il fit ses études à Cordoue puis voyagea en Espagne, en Afrique du Nord, en Asie Mineure, avant de s'établir à la cour du roi normand Roger II de Sicile. Ce dernier le chargea de rédiger une description du monde d'après les observations d'un groupe d'explorateurs placés sous ses ordres. Son livre *Délice de celui qui souhaite visiter les régions du monde* ou *Livre de Roger* est un des plus importants travaux de la géographie médiévale.

Falcon de Bénévent : chroniqueur d'origine lombarde, il fut notaire au palais de Bénévent jusqu'au début des années 1130. Il est nommé juge avec l'accord du pape Innocent II. Exilé par les Normands, il revient en 1137 et commence son œuvre. Témoin de son époque, animé par sa haine des Normands, il sera l'auteur du *Chronicon de rebus aetate sua gestis*.

Georges d'Antioche : « Grand amiral » de la flotte sicilienne, paré du titre grec d'« archonte des archontes », du titre arabe d'« émir des émirs », il est dès 1132 le « premier sujet du royaume » de Roger II et a toute sa confiance. Il meurt en 1151.

Guillaume Ier : dit le Mauvais, né en 1120, mort en 1166. Succède à son père sur le trône de Sicile jusqu'en 1166, date de sa mort. Il perdra les conquêtes de son père sur les actuelles Tunisie, Libye et Algérie.

Guillaume de Verceil : mort en 1142, promoteur du monachisme réformé en Campanie. Il vit en ermite, crée Sainte-Marie-de-Montevergine (près d'Avellino) et Saint-Sauveur-du-Goleto, un monastère féminin (non loin de Sant Angelo dei Lombardi). Il vit dans l'ascétisme et la solitude et ne quitte jamais son casque et sa cuirasse.

Roger II de Sicile : né en 1095, mort en 1154. Comte de Sicile en 1105. En 1130, à la faveur d'un schisme, il obtient le titre de roi de Sicile du pape (ou antipape) Anaclet II. Titre royal confirmé en 1139 par le pape Innocent II et reconnu comme légitime par la plupart des rois d'Occident. De sa première femme Elvire, fille d'Alphonse VI de Castille, il a cinq fils et une fille, de la seconde, Sybille de Bourgogne, aucune descendance et de sa troisième et dernière femme, Béatrice de Réhel, une fille, Constance. En 1140, il établit une direction centralisée sur ses États, inspirée des modèles grec et arabe. Il rêve de conquérir l'Afrique. Il meurt en février 1154.

Roger, duc de Pouilles : fils aîné de Roger II, il meurt le 2 mai 1148 à trente ans. Marié en 1140 à Élisabeth de Champagne il n'aura pas d'autres héritiers que deux garçons qu'il a eus d'une union *more danico*. L'un d'eux, Tancrède, sera comte de Lecce et, pendant quatre ans, roi de Sicile.

Pour les plus curieux…

La Normandie des ducs aux rois, x^e-xII^e siècle. François Neveux, Ouest-France Université, 1998.

Les Îles Britanniques au Moyen Âge. Jean-Philippe Genet, « Carré Histoire » Hachette, 2005.

Les Invasions normandes en France. Johannes Steenstrup, Le Mémorial des siècles, Albin Michel, 1969.

La Monarchie féodale en France et en Angleterre. x^e-$xIII^e$ siècle. Charles Petit-Dutaillis, Albin Michel, 1971.

Histoire chronologique de la Normandie et des Normands. Des origines à 1204. Jean Dubuc, Patrimoine normand, 2003.

Saga de Ragnarr aux braies velues. Introduction, traduction et notes de Jean Renaud, Éditions Anacharsis, 2005.

Les Vikings et la Normandie. Jean Renaud, Éditions Ouest-France, 1989.

Les Dieux des Vikings. Jean Renaud, Éditions Ouest-France, 1996.

Les Vikings à l'assaut de l'Aquitaine. Jean Renaud, Princi Negue Editor, 2002.

La Vie quotidienne des Vikings. Régis Boyer, Hachette, 1993.

L'Héritage maritime des Vikings en Europe de l'Ouest. Actes du colloque international de La Hague, Flottemanville-Hague 1999, publiés sous la direction d'Élisabeth Ridel, Presses universitaires de Caen, 2002.

Roger II, un Normand en Méditerranée. Pierre Aubé, Éditions Payot, 2001.

Les Empires normands d'Orient. Pierre Aubé, Hachette, coll. « Pluriel », 1995.

L'Espagne et la Sicile musulmanes du XIᵉ au XIIᵉ siècle. Pierre Guichard, Presses universitaires de Lyon, 2000.

Italies normandes. XIᵉ-XIIᵉ. La vie quotidienne. Jean-Marie Martin, Hachette, 1994.

Les Normands en Méditerranée aux XIᵉ-XIIᵉ siècles. Colloque de Cerisy-la-Salle. Presses universitaires de Caen, 2001.

L'Océan Atlantique musulman. De la conquête arabe à l'époque almohade. Christophe Picard, Éditions Unesco Maisonneuve & Larose, 1997.

Les Explorateurs au Moyen Âge. Jean-Paul Roux, Hachette, coll. « Pluriel », 1995.

Poètes et romanciers du Moyen Âge. Édition établie et annotée par Albert Pauphilet, Gallimard, coll. « Bibliothèque de la Pléiade », 1992.

Voyager au Moyen Âge. Jean Verdon, Perrin, 1998 ; nouv. éd. 2003.

La Navigation à travers les âges. Commandant Robert de Loture, Payot, 1952.

La Vie au Moyen Âge. Robert Delort, Seuil, coll. « Points Histoire », 1982.

L'Art de la guerre au Moyen Âge. Renaud Beffeyte, Éditions Ouest-France, 2005.

Impression réalisée sur Presse Offset par

C P I
Brodard & Taupin

La Flèche (Sarthe), 42304
N° d'édition : 3820
Dépôt légal : mars 2006
Nouveau tirage : juin 2007

Imprimé en France